WENSDROOM VAN EEN KIND

Henny Thijssing-Boer

Wensdroom van een kind

Spiegelserie

Zomer & Keuning familieromans

ISBN 90 5977 113 3
NUR 344
www.spiegelserie.nl
Omslagontwerp: Hendriks grafische vormgeving

1

JOOSJE BOELENS WAS BEZIG MET HET VOORBEREIDEN VAN HET AVOND-
eten en verheugd bedacht ze dat haar man Giel over een uurtje
thuis zou zijn. Ter afsluiting van een drukke werkweek zouden ze
straks, voordat ze aan tafel schoven, eerst gezellig een glas wijn
drinken. Dat was gaandeweg traditie geworden, het hoorde bij hun
vrijdag.

In tegenstelling tot Giel, kon zij eigenlijk niet spreken van een
overbezette, drukke werkweek, want ze werkte maar drie halve
dagen per week buiten de deur. Op dinsdag-, woensdag-, en don-
derdagmiddag zat ze bij notaris Hoekzema op kantoor, dat ze te
voet kon bereiken, de rest van de week was ze huisvrouw. Giel was
makelaar, zijn kantoor was in de stad gevestigd en dat betekende dat
hij dagelijks op en neer moest reizen. Maar dat had hij er graag voor
over, want net als dat bij haar het geval was, beviel het dorpsleven
hem bijzonder goed. En dat was geen wonder, want ze waren allebei in dit dorp geboren en getogen.

Na hun huwelijk waren ze naar de stad vertrokken waar ze best wel
goede jaren hadden doorgebracht. Maar toen haar ouders door een
ongeluk om het leven kwamen hadden zij en Giel meteen geweten
wat ze wilden. Uiteraard in overleg met haar broer Felix, waren ze
toentertijd tot het besluit gekomen het ouderlijk huis niet te ver-
kopen. Ze hadden de stad de rug toegekeerd en waren er zelf in
gaan wonen.

Het is onvoorstelbaar, dacht Joosje, dat het alweer zeven jaar geleden is dat Felix en ik in één klap allebei onze ouders verloren. Zij
was toen eenendertig jaar geweest, Felix zevenentwintig. Haar
ouders, David en Lucy Visser, waren allebei zestig geweest toen dat
vreselijke ongeluk hen van het leven beroofde. Zij beschouwde het
nog steeds als oneerlijk dat het juist die twee lieverds had moeten
overkomen. Pap en mam, afgezien van hun leeftijd waren ze in hun

doen en laten nog jong geweest. Vitaal, ondernemend en zeer sportief. Hun auto had altijd een opvallende, lage kilometerstand en dat kwam louter vanwege het feit dat ze veel liever op de motor stapten. Het rijden op dat ding, een joekel van een gevaarte zoals zij de motor placht te noemen, was voor haar ouders hun grootste liefhebberij. Ze maakten er lange tochten op in binnen- en buitenland. En toen, op die fatale dag, verongelukten ze even buiten het dorp. Vlakbij huis, doordat pap een verkeerde inhaalmanoeuvre maakte. Het was de natuurlijke gang van zaken dat de tijd de scherpste puntjes inmiddels had weggeslepen, maar het gemis bleef onverminderd aanwezig.

Het gaf haar nog altijd een goed gevoel dat pap en mam hadden mogen delen in het geluk dat zij – Joosje – bij Giel had gevonden. Ondanks het feit dat Giel en zij kinderloos zouden blijven waren ze gelukkig en hadden ze een goed huwelijk. Daar hadden ze echter allebei keihard voor moeten knokken! In het begin, toen ze na talloze, vervelende onderzoeken te horen kregen dat er niets aan haar mankeerde, maar dat Giel geen kinderen kon verwekken, hadden ze het allesbehalve gemakkelijk gehad. Giel had geworsteld met zijn man-zijn dat voor zijn gevoel opeens niet meer was zoals het volgens hem hoorde te zijn. En hoewel zij het had geprobeerd, had zij hem niet daadwerkelijk kunnen troosten. Daarvoor was haar eigen teleurstelling te groot geweest. Het idee dat ze nooit moeder zou worden, was voor haar onacceptabel geweest.

In die tijd waren haar huilbuien niet te tellen, evenals haar wisselende stemmingen. Giel kon er niet mee omgaan als zij de ene keer gemaakt vrolijk deed en het volgende moment diep in de put zat. Vanwege zijn schuldgevoelens kon hij haar niet troosten en dat verweet zij hem dan weer. Nee, in die tijd zweefden ze bepaald niet samen op een roze wolk, maar hadden ze het knap moeilijk. Zij kon niet altijd bij Giel terecht, maar gelukkig wel bij mam. Door veel samen te praten leerde mam haar inzien dat zij niet in de eerste plaats met zichzelf bezig mocht zijn, maar dat zij Giel tot steun moest zijn. Dankzij mams wijze levenslessen lukte het haar toen om zijn onterechte schuldgevoelens weg te nemen en daar hadden ze wonderlijk genoeg allebei baat bij. Echter niet van het één op het andere moment, er gingen diepgaande gesprekken aan vooraf die niet zelden een deel van de nacht opslokten, maar waarmee ze uiteindelijk de gewenste resultaten boekten.

Na de gevechten die ze soms in stilte elk voor zich, dan weer samen hadden gestreden, leerden ze inzien dat je als mens dat wat er op je pad wordt gelegd, moet aanvaarden. Want niets gebeurt zomaar, alles is immers voorbestemd. Zonder dat vertrouwen waar ze zich toen aan vastklampten, zou hun huwelijk geen stand hebben gehouden of zouden ze er zelf onderdoor zijn gegaan.

Giel en zij waren er nog elke dag dankbaar voor dat ze elkaar terug hadden gevonden. Ze waren weer naar elkaar toegegroeid en gelukkiger met elkaar dan voorheen. Ze waren er nu van overtuigd dat mam gelijk had gehad met haar bewering dat het hebben van kinderen niets van doen had met het wel of niet slagen van een huwelijk. Daar moest je in alle gevallen zelf aan werken, elke dag opnieuw. Hoewel ze nog maar wat graag moeder zou willen zijn, kon ze nu gelaten bedenken dat het hebben van kinderen niet altijd zaligmakend was. Daarbij hoefde ze alleen maar aan Felix te denken. Hij had een schat van een dochter waar hij zielsveel van hield, maar wat zijn huwelijk betrof, zou zij voor geen prijs met hem willen ruilen.

Pap en mam hadden nog mee mogen maken dat Felix en Suze een kindje kregen. Ze hadden slechts één jaar opa en oma mogen zijn van hun kleindochter, Davina, ze was vernoemd naar haar overleden opa David. Net zoals zij vroeger vernoemd was naar haar opa die Joost heette. Haar ouders hadden de 't' uit die naam weggelaten en haar Joosje genoemd. Ze zou nooit zelf voor die naam hebben gekozen, ze zou het er echter mee moeten doen. Davina klonk stukken beter, vond ze, zij was inmiddels acht jaar.

Zij – Joosje – hield waanzinnig veel van haar kleine nichtje. Het voelde soms net alsof Davina ook een klein beetje van haar was, maar dat kwam vermoedelijk doordat zij zich zo nauw met Felix verbonden voelde. Hij was vier jaar jonger dan zij en ze beschouwde hem in stilte nog altijd een beetje als haar kleine broertje op wie zij moest blijven passen. Dat gevoel kwam omdat ze zich zorgen om hem maakte, vandaag had ze zelfs een onverklaarbaar sterk gevoel dat er daadwerkelijk iets met hem aan de hand was. Dat moest ze maar liever niet hardop zeggen, want dan liep ze het risico uitgelachen te worden. Felix was een getrouwde kerel van vierendertig, hij was echtgenoot en vader en had zijn zus heus niet meer nodig. Dat zou er gezegd worden als zij aan de buitenwereld het achterste van haar tong zou laten zien. Maar degenen die aldus zouden oordelen, wisten niet wat zij en Giel wisten noch wat mam vroeger al had voorspeld. Vanaf het moment dat Felix zijn destijds toekomstige vrouw aan pap en mam had voorgesteld, had mam hem gewaarschuwd. 'Suze Hofman is om te zien een mooi meisje, maar er zit niets bij. Ze is een leeghoofd, beslist geen vrouw voor jou!' Mam had nog veel meer waarschuwingen geuit, maar ze had zich net zo goed stil kunnen houden, want verliefd als Felix was, wilde hij uiteraard geen kwaad woord over zijn meisje horen. Giel en zij hadden ook meteen hun twijfels over Suze, maar wie waren zij om een waarschuwende vinger tegen Felix op te steken als hij hun niet om hun mening, laat staan om raad vroeg.

Suze kwam uit een dorp dat lag op de grens van Groningen en Friesland en dat was te horen aan haar accent. Dat klonk grappig, verder hadden ze van meet af aan niet veel leuks aan het meisje kunnen ontdekken. Felix echter wel, want toen Suze kort nadat ze elkaar leerden kennen al zwanger bleek te zijn, waren ze getrouwd. Op dat moment bedacht Joosje dat het eten inmiddels zover klaar was dat ze er zo dadelijk alleen nog maar de laatste hand aan hoefde te leggen. Ze besloot de tafel vast te dekken en de glazen alsmede de fles wijn op de salontafel klaar te zetten. Nadat ze ook die klusjes had geklaard, liet ze zich in de huiskamer in een stoel zakken en wachtend op Giel dwaalden haar gedachten weer naar haar broer.

Felix had Suze destijds ontmoet in een uitgaansgelegenheid in Groningen. Het was liefde op het eerste gezicht, zoals Felix destijds beweerde. Of dat bij Suze ook het geval was trok zij in twijfel. Want hoe kon je stapelverliefd op iemand worden als je vorige relatie slechts een week daarvoor was stukgelopen? Dat was bij Suze het geval geweest. Ze had een tijdje samengewoond met ene Sjef de Noord die uit hetzelfde grensdorp kwam als zij. Wat hij voor de kost deed, wist ze niet, wel dat Suze nooit een baan had gehad. Na de basisschool, waar ze met hangen en wurgen doorheen was gekomen, had ze een paar jaar SVO gevolgd, maar ook daar had ze niets van terechtgebracht. Ze spijbelde meer dan dat ze naar school ging en toen haar leerplicht erop zat, had ze het welletjes gevonden.

Giel had haar eens gevraagd waarom ze net als ieder normaal mens, geen baan had gezocht. Suze had met haar schouders getrokken en gezegd: 'Het is allemaal zo'n gedoe, werken bij een baas. Ik moet er niet aan denken, het is niks voor mij. Je wordt er enkel moe van en verder schiet je er niets mee op. Ik doe alleen dat wat ik zelf leuk vind.' Die uitleg was typerend voor Suze, en zij hadden hun bedenkingen erover gehad. Felix had echter vertederd glimlachend gezegd: 'Bij mij kan en mag Suze zichzelf zijn, doen wat zij prettig vindt. Waarom zou zij tegen haar zin een baan zoeken, ik verdien de kost wel voor ons beiden.'

Felix was tandtechnicus, verbonden aan een tandtechnisch laboratorium in de binnenstad van Groningen. Hij woonde in een buitenwijk van de stad in een fraai, vrijstaand huis met een diepe, mooi aangelegde achtertuin. Wat dat betrof had hij Suze wel iets te bieden, maar of hij er iets voor terugkreeg? Suze was niet alleen een leeghoofd, ze was bovendien lui. Dat had Felix blijkbaar wel ingezien, want kort nadat ze getrouwd waren had hij ervoor gezorgd dat er een ochtend per week hulp kwam van een flinke vrouw die voorkwam dat zijn boeltje zou verslonzen. Suze vond het allemaal prima, ook dat Felix na een drukke werkdag de moeite nam om Davina in bad te doen omdat ze niet al te fris rook. Felix zou veel strenger jegens Suze moeten zijn, vond Joosje, hij moest haar dwingen een goede moeder en huisvrouw te zijn.

Op dat moment ging de deur open en kwam Giel binnen. Ze begroetten elkaar als gebruikelijk met een kus, maar toen Giel Joosje losliet, viel zijn blik op de glazen en de fles wijn en zei hij: 'Het spijt me, maar ik kan geen wijntje met je drinken, want ik moet zo dadelijk nog rijden. Ik heb om acht uur een afspraak met een echtpaar. Heel vervelend, maar het is niet anders.' In zijn blauwe ogen lag een spijtige blik, hij liet zich in zijn stoel zakken en streek met beide handen door zijn dikke pruik blond haar.

Dat ietwat machteloze gebaar van hem deed Joosje zeggen: 'Je moet er geen punt van maken, de zaken gaan nu eenmaal voor het meisje. Maar op vrijdagavond zou niemand een beroep op jou mogen doen, het is ónze avond. Toch?'

'Ja, schat, dat ben ik met je eens. Het gaat echter om mensen die overdag allebei werken en dan geen tijd hebben om een huis te bezichtigen. Dat moet dus in de avonduren gebeuren. Het betreft het appartement waarover ik je laatst vertelde, dat al ruim een jaar leegstaat omdat de eigenaar de prijs niet wil laten zakken. Ik heb al vaak aan hem gezegd dat hij veel te hoog in de boom zit en dat een leegstaand huis sowieso slecht verkoopt. Ik kan alleen maar hopen dat de kijkers van vanavond kopers zullen worden, want ik wil van dat appartement af. In ieder geval zal ik proberen zo gauw mogelijk weer bij je thuis te zijn. Dan drinken we alsnog onze vrijdagavond-borreltje!'

'Bekommer je nu maar niet om mij, ik vind het alleen maar verve-

lend voor jou. Je hebt een drukke week achter de rug, je ziet er moe uit. Je zou na het eten lekker languit op de bank moeten kunnen gaan liggen in plaats van dat je de deur nog weer uit moet.'
Daarop pareerde Giel lachend: 'Als jij snel zorgt dat het eten op tafel komt, kan ik daarna misschien nog een kwartiertje met mijn ogen dicht onderuitzakken!'
Joosje stond op. 'Ik ren al, je wordt op je wenken bediend!'
Een kwartiertje later zaten ze tegenover elkaar aan tafel en informeerde Giel: 'Hoe is het, heb je een leuke dag gehad?'
'Ja hoor, best wel. Alleen het laatste uurtje voordat jij thuiskwam, heb ik wat zitten piekeren. Over van alles en nog wat, maar voornamelijk over Felix. Ik maak me zorgen over hem, daar kan ik niks aan doen. Felix is niet gelukkig. Dat zegt hij niet zelf, maar ik ken hem en zie het aan hem. Dat zit me dwars. Hij is een lieverd die beter verdient.'
'Dat zal ik niet tegenspreken. Maar die broer van jou is oud en wijs genoeg om zijn eigen peultjes te doppen, hoor Joosje! Het is te zot voor woorden dat jij je zorgen maakt om je broer! Hij redt zich heus wel en zo niet, dan is dat zijn zaak, niet die van jou! Zo denk ik erover, want zo is het! Het is niet de eerste keer dat jij bij mij je nood klaagt over Felix, het enige wat ik je met klem kan adviseren, is dat jij de sores om je broer van je af moet zetten. Ik zit er in elk geval niet mee, het is niet mijn pakkie-an!'
'Ik wou dat ik er zo gemakkelijk over kon denken, maar dat lukt mij niet. Na het overlijden van pap en mam hebben Felix en ik alleen elkaar nog en ik denk dat ik hem daardoor niet kan loslaten. Maar ik beloof dat ik jou er niet meer mee lastig zal vallen. Goed?'
'Malle meid, hoe zou jij mij met iets lastig kunnen vallen! Als jij er baat bij hebt, kun je altijd bij mij aankloppen om je nood te klagen.'
Joosje gaf het gesprek een andere wending. 'Ik zie dat je je toetje al op hebt, ga dan nog gauw even languit op de bank! Ik maak je over een kwartiertje wel wakker.'

Giel schoof zijn stoel naar achteren en stond op. Voordat hij Joosjes advies opvolgde, gaf hij haar een kus. 'Je bent mijn lieverd, mijn alles. Dat zeg ik lang niet vaak genoeg!'

Hierop grapte zij: 'O, jawel hoor! Als ik het me goed herinner zei je vorig jaar om deze tijd ook iets dergelijks. Ga nou maar liggen, ik zit je te plagen.'

Giel voelde zich na een kwartiertje rust als herboren, zoals hij beweerde. Hij dronk nog snel een kop koffie, vervolgens verliet hij het huis om aan zijn verplichtingen te voldoen.

Nadat ze de tafel had afgeruimd en de vaatwasser aangezet, nestelde Joosje zich met een boek in een hoekje van de bank. Het was een spannend boek dat haar boeide en haar hielp, bedacht ze, om niet aan Felix te denken. Giel had gelijk; zij kon het geluk niet voor Felix van een boom plukken. En de vervelende voorgevoelens die ze jegens hem had zou ze vergeten nu ze meeleefde met de personages van het boek waar ze gisteren aan was begonnen.

Algauw was Joosje weer helemaal in de ban van het verhaal en vergat ze man, broer en de tijd. Ze schrok zich dan ook zowat lam en schoot met een ruk overeind toen de telefoon overging. Even keek ze verdwaasd om zich heen, daarna nam ze op en maakte zich bekend. 'Met Joosje Boelens.'

'Ja, met mij. Felix. Of stoor ik?'

'Nee, gekkie, natuurlijk niet! Maar is er iets, Felix, ik meende te horen dat je stem wat opgefokt klonk?'

'Dat zou best kunnen, ik voel me allesbehalve happy. Eerlijk gezegd weet ik me geen raad, want Suze is ervandoor...'

Hevig geschrokken stamelde Joosje: 'Ik wist het... ik wist het.'

'Hoe kan dat nou, of heeft Suze tegen jou gezegd dat ze bij me weg wilde?'

'Nee, nee, je begrijpt me verkeerd. Het gaat niet om Suze, maar om jou. Ik voelde vandaag heel sterk aan dat er iets met jou aan de hand was. Dat wist ik heel zeker, maar dat van Suze is nieuw voor me. Hè,

Felix, wat schrik ik hiervan. Vertel verder, wat is er precies gebeurd?'

'Nou ja, het ging al een hele tijd niet meer goed tussen ons. Toen ik vanavond van mijn werk thuiskwam, werd ik niet, net als anders, uitbundig begroet door Davina en Suze was evenmin thuis. Dat vond ik uitermate vreemd, totdat ik een briefje op tafel vond waarin Suze schreef dat ze weggegaan was omdat ze eventjes afstand van alles moest nemen. Ze had tijd en ruimte nodig om na te denken, schreef ze.'

Felix zweeg en Joosje flapte er onnadenkend uit: 'Wat een kolder, Suze kan niet eens nadenken. O, sorry,' liet ze er beschaamd op volgen, 'dat had ik niet mogen zeggen. Ik zou nu het liefst meteen naar je toe komen, maar dat gaat helaas niet. Giel heeft een afspraak voor het bezichtigen van een huis en hij heeft de auto mee. Ik heb geen idee hoe laat hij thuis zal zijn en dan is hij te moe om nog eens op en neer naar de stad te rijden. Het spijt me echt heel erg dat ik er nu niet dadelijk voor je kan zijn. Maar wacht eens; jij zou naar ons toe kunnen komen! Dan zit je tenminste niet alleen en kun je alles van je af praten!'

'Je bedoelt het goed, dat waardeer ik, maar toch blijf ik liever thuis. Suze schreef namelijk ook dat ze me zou bellen zodra ze op haar plek van bestemming was aangekomen. Ik moet haar telefoontje afwachten, hopelijk vertelt ze me dan wat meer.'

'Als ze het heeft over een plek van bestemming, wist ze dus van te voren waarheen en naar wie ze zou gaan,' concludeerde Joosje. 'Heb jij echt geen idee, Felix, waar ze kan zijn?'

'Ik neem aan dat ze naar haar ouders is gegaan, anders zou ik het niet weten. Ik maak me zorgen en ik mis Davina nu al. Het huis is leeg, donker en koud zonder mijn kleine meid. Sorry dat ik jou hiermee lastigval, maar ik moest het even aan iemand kwijt. Ik hang nu weer op, voor het geval Suze belt. Dan moet de lijn liever niet bezet zijn, maar dat begrijp je wel, nietwaar?'

'Ja, vanzelfsprekend. Zullen Giel en ik dan morgenmiddag naar je toe komen? Ik moet je nu zo gauw mogelijk zien en spreken en ik wil je graag troosten. Ik heb met je te doen, Felix!'
'Je bent een lieverd, een zusje uit duizend. Tot morgen en bedankt voor je luisterend oor!'
'Heel veel sterkte en laat vooral de moed niet zakken!'

Als de schrik je goed te pakken heeft, zeg je alleen maar stomme dingen, foeterde Joosje op zichzelf toen Felix het gesprek verbroken had. Sterkte en laat de moed niet zakken; alsof Felix daar iets aan had. Tjonge, het was niet niks wat ze te horen had gekregen. Suze was ervandoor gegaan. Alles wat ze had verwacht, dit zeker niet. Wat bezielde haar schoonzus? Gezien haar slappe karakter kon ze het immers nergens beter krijgen dan bij Felix. Ze had geen geld-gebrek en ze kon zo lui zijn als ze zelf wilde. Dit leven paste haar precies, zou je denken, maar daar vergiste zij zich klaarblijkelijk in. Suze ging liever terug naar haar ouders dan dat ze bij Felix bleef. Nu ze aan het gesprek met Felix terugdacht, drong het pas tot haar door dat hij had gezegd dat hij zijn kleine meid miste, over Suze had hij iets dergelijks niet gezegd. Was dat geen teken aan de wand? Wat stond er haar broer allemaal te wachten en haarzelf..?
Als ze dacht aan een scheiding tussen Felix en Suze, kreeg ze het subiet Spaans benauwd. Het zou immers betekenen dat ze Davina, haar oogappeltje, zou verliezen. Een kind werd haast altijd aan de moeder toegewezen, een vader moest meestal genoegen nemen met een bezoekregeling. O, lieve deugd, waar moest dit op uitdraaien. Felix hield met elke vezel van zijn lichaam van zijn kleine dochter, zonder haar zou hij het beslist niet kunnen stellen. Kwam Giel maar thuis, ze voelde zich opeens zo naar, ze moest zijn armen om haar heen voelen. Daar zou ze straks niet eens om hoeven vragen, als Giel zag dat het haar even te veel werd, zou hij haar uit zichzelf tegen zich aan trekken. Arme Felix, hij had niemand die hem in

liefde troostte, hij zat in zijn eentje met een hoofd vol zorgen. Haar 'kleine' broertje, dit gunde zij hem zeker niet.

Joosje prakkizeerde de tijd vol, toen Giel op een gegeven moment binnenkwam, slaakte ze een zucht van verlichting. 'Ik ben zo blij dat je er bent, Giel..! Ik heb daarstraks een jobstijding gehad. Felix zit in de grootst mogelijke problemen.' Haar blauwe ogen die ze naar hem opsloeg, vulden zich met tranen en inderdaad deed Giel toen wat zijn hart hem ingaf. Hij trok haar op uit haar stoel en sloot haar vast in zijn armen. En terwijl hij met één hand over haar blonde haren streek, troostte hij: 'Rustig maar, het kan nooit zo erg zijn of er is een oplossing voor te vinden. Gaat het weer een beetje?'

Joosje wreef driftig langs haar ogen. 'Ja, nu jij bij me bent lijkt alles niet half zo erg. Maar dat is het helaas wel. Ik schenk ons het drankje in dat we nog te goed hebben en dan zal ik het je vertellen.'

Kort hierna hieven ze het glas naar elkaar op en nadat ze een slokje wijn hadden genomen, stak Joosje van wal. Ze herhaalde woordelijk het telefoongesprek dat ze met Felix had gevoerd en ze besloot met: 'Wij kunnen nu alleen maar hopen dat Suze haar belofte nakomt en Felix belt, zodat zij hem en ons uit de droom helpt. Gek evengoed, dat ik het zo sterk aanvoelde dat het niet goedging met Felix.'

Ze waren inmiddels naast elkaar op de bank gaan zitten, Giel legde een arm om haar heen. Hij toonde berouw door te zeggen: 'Het spijt me dat ik eerder op de avond zo lomp tegen je uitviel. Ik zei toen dat jouw zorgen om Felix niet mijn pakkie-an waren. Daar kom ik op terug, want natuurlijk raken zijn zorgen van het moment mij ook. Hij moet de schrik van zijn leven hebben gekregen toen hij bij thuiskomst merkte dat vrouw en kind gevlogen waren. Arme kerel, dit gun ik hem niet.'

'Het ergste van alles is dat Suze Davina met zich mee heeft genomen. Felix kan het zonder haar niet stellen en dan heb ik het nog niet over mezelf. Ik ben bang, Giel, dat wij Davina in de toekomst nog hoogst zelden, of helemaal niet meer zullen zien. Ik moet er niet aan denken dat ik haar lieve stemmetje niet meer zal horen. Ze genoot altijd zo als ik haar op een zaterdagmiddag meenam naar de stad. Met het kleinste cadeautje wat ik dan voor haar kocht, was ze zielsgelukkig. En ik genoot in stilte van haar, ik had haar dan even helemaal voor mezelf. Suze was elke keer allang blij dat ik haar dochter kwam halen, want dan had zij haar handen vrij en kon ze ongestoord languit op de bank voor de televisie liggen. Waarom heeft ze Davina niet bij Felix gelaten, dat was voor haar toch veel gemakkelijker? Ik kan haar momenteel wel iets dóen, die schoonzus van me,' besloot ze fel verontwaardigd.

Op de furieuze blik in haar ogen zei Giel: 'Jij en Suze, jullie zullen nooit vriendinnen worden, daarvoor verschillen jullie teveel van elkaar. Ik begrijp jouw gevoelens voor Suze wel, toch moet ik je erop wijzen dat je liever niet moet oordelen voordat je het naadje van de kous weet. Het is nog altijd zo, Joosje, dat waar twee kijven, twee schuld hebben! In mijn hart trek ik net als jij partij voor Felix, toch mogen we de mogelijkheid niet uitsluiten dat hij ook niet helemaal vrijuit gaat. Ik vraag me trouwens af of jij niet te voorbarig bent in het trekken van conclusies. Jij hebt het al over een scheiding tussen die twee, maar het kan best zijn dat Suze gewoon een poosje naar haar ouders is gegaan om op adem te komen en dat ze over enige tijd bij Felix terugkomt.'

Joosje trok onwillig met haar schouders. 'Ik laat me leiden door mijn intuïtie en die bedriegt me zelden of nooit. Die zegt me dus ook dat Felix in deze kwestie zijn handen in onschuld mag wassen. Ik ken Felix en kan het me niet voorstellen dat hij Suze het leven zuur zou maken. Maar voordat wij hier onenigheid over krijgen, kunnen we er maar beter over ophouden. Morgen komen we hopelijk meer te weten, vertel jij nu maar hoe het echtpaar op het appartement reageerde. Blijven het kijkers of worden het kopers die toehappen als de huidige eigenaar de prijs laat zakken?'

'Ze waren allebei enthousiast en met kennis van zaken mag ik gerust vaststellen dat ze tot kopen overgaan als het door hen gedane bod door de eigenaar wordt geaccepteerd. Die man zal toch een keer overstag moeten gaan, hij zit nu met twee huizen, met twee hypotheken, ik vraag me af hoelang hij dit financieel gezien kan volhouden. Maandag zal ik hem benaderen en het gedane, zeer redelijke bod, aan hem voorleggen. En dan maar hopen dat hij 'ja' zegt. Te koop staande huizen moeten een vlotte doorstroming hebben, maar wat dat betreft gaan we echter een slappe tijd tegemoet. De zomervakantie is aangebroken, vandaag hebben de scholen hun deuren voor een aantal weken gesloten. Ouders gaan er nu met hun kinderen op uit of doen andere leuke dingen, in ieder geval staan de meeste hoofden nu even niet naar het kopen van een huis. En dat is zeker niet aangenaam voor een makelaar,' besloot hij veelzeggend.

'Mijn werkgever, notaris Hoekzema, is er ook niet rouwig om als er een koopakte gepasseerd moet worden,' zei Joosje lachend.

Giel knikte begrijpend. 'Verdienen en laten verdienen, daar draait het om in de zakenwereld. Maar ik ben blij met de lach op jouw gezicht! We maken er voor onszelf een goede avond van, morgen zien we weer verder. Dan komt Felix aan de beurt en zullen wij proberen of we iets voor hem kunnen betekenen.'

'Je bent een lieverd, het doet me echt goed dat Felix' zorgen jou niet onberoerd laten. Jammer, hè Giel, dat Felix en Suze het samen beduidend minder mooi hebben dan wij?'

Giel knikte en bromde: 'En dat, terwijl zij hebben wat wij moeten missen. Een prachtige dochter.'

Joosje voelde haarscherp aan wat Giel hiermee bedoelde en hoewel ze volschoot, zei ze dapper: 'Wij hebben elkaar, ik denk dat wij alle reden hebben om dankbaar te zijn.'

2

TOEN ZE DE VOLGENDE MIDDAG BIJ FELIX DE HUISKAMER BINNEN-stapten, ervoer Joosje het als pijnlijk dat ze niet door Davina werd begroet. Ze verborg haar verdrietige gevoelens voor Felix, bij binnenkomst had ze in één oogopslag gezien dat hij er beroerd aan toe was. 'Heb jij vannacht eigenlijk wel geslapen?' vroeg ze bezorgd, 'je ziet eruit alsof je je bed niet hebt gezien.'
Felix lachte zuurzoet. 'Hoe kun je het raden!' Na een adempauze, niet meer dan een diepe zucht, bekende hij: 'Ik ben niet eens uit de kleren geweest, 'k heb me nog niet gewassen of geschoren.'
'Je stinkt nog niet, dus wat dat betreft is er niks aan de hand.' Giel liet er serieus op volgen: 'Heeft Suze je gisteravond gebeld? Of liet zij het afweten en heb je met je schoonouders gesproken? Wij nemen tenminste aan dat ze bij haar ouders is?'
'Daar was ik voor mezelf ook van overuigd,' zei Felix, 'totdat ze me belde. Toen ik haar die vraag stelde, antwoordde ze: "Ik ben wel in mijn geboortedorp, maar niet bij pa en ma. Ik ben bij Sjef de Noord. Hij zette de deur van zijn huis voor me open, ik mag hier blijven totdat ik weet wat ik wil." Ze is dus bij haar ex-vriend met wie ze vroeger een tijd heeft samengewoond...' Felix zweeg, hij keek don-ker voor zich uit en even leek het alsof hij zich alleen waande. Joosje had inmiddels koffie ingeschonken, zij haalde haar broer terug naar de werkelijkheid.
'Als Suze doelbewust naar Sjef de Noord is gegaan, moeten ze con-tact met elkaar hebben gehad. Want hoe kon hij anders de deur van zijn huis voor haar openzetten?'
Het kostte Felix moeite te moeten zeggen: 'Dat is inderdaad het geval geweest. Gisteravond vertelde Suze me tot mijn stomme ver-bazing dat Sjef en zij de laatste tijd weer contact met elkaar onder-hielden. Overdag, als ik niet thuis was, belden ze elkaar regelmatig, hij schijnt zelfs een paar keer in mijn huis bij Suze op bezoek te zijn

geweest. En ik had niets in de gaten, 'k liep rond met oogkleppen voor...'

'O, Felix, wat erg voor je,' fluisterde Joosje ontsteld.

Felix stiet een cynische lach uit. 'Je weet niet wat je zegt, het allerergste komt nog. Gisteravond door de telefoon zei Suze keihard dat Davina... niet van mij is, maar dat Sjef de Noord haar biologische vader is. Davina is niet míjn kind, niet míjn kleine meid. Hoe kan ik dat bevatten als ik zo zielsveel van haar hou..? Ze is mijn alles, de laatste acht jaar heb ik geleefd voor haar welzijn, wat ik ervoor terugkreeg, is met geen pen te beschrijven. Zoveel liefde, zoveel vertrouwen en aanhankelijkheid... Was al dat goede dan achteraf gezien slechts een zeepbel die op een gegeven moment uiteen zou spatten? Mijn kleine meid... de gevoelens die ik voor haar koester zijn nu zo hevig dat het gemeen zeer doet. Ik kan haar niet missen, niet afstaan aan een man die meent meer recht op haar te hebben dan ik. Ik weet niet hoe het verder moet... dat weet ik echt niet.'

Felix boog zich diep voorover, hij verborg zijn gezicht achter zijn handen en huilde zoals enkel een man in radeloze nood dat kan.

Joosje snelde op hem toe. Ze legde een arm om zijn schouders en diep bewogen fluisterde ze woorden van troost die Felix echter niet konden bereiken. Op een gegeven moment vermande hij zich weer. Hij hief het hoofd op en zei schorrig: 'Sorry, het werd me eventjes te veel.'

Joosje ging er weer bij zitten. Giel zei: 'Dat lijkt me logisch, het is niet niks wat jij te horen kreeg! Het is echter een gegeven dat jij, volgens mij, niet klakkeloos hoeft aan te nemen. Suze kan beweren wat ze wil, bewijzen kan ze het niet!'

'Daar zeg je wat,' zei Joosje hoopvol.

Felix haakte erop in: 'Dat en nog veel meer heb ik vannacht ook bedacht. Inmiddels ben ik er echter achtergekomen dat ik me echt geen illusies meer hoef te maken. Je weet toch nog wel,' zei hij tegen Joosje, 'dat de relatie tussen Sjef en Suze net stukgelopen was toen ik haar leerde kennen? Nou en zo weet je ook nog wel hoe snel daarop wij moesten trouwen omdat Suze zwanger bleek te zijn. Gisteravond zei ze glashard dat ze al zwanger was toen ze mij voor het eerst ontmoette en dat ik dus onmogelijk de vader van Davina kan zijn. Je zult het na acht jaar maar op je bord krijgen...' Felix schudde vertwijfeld zijn hoofd.

Giel en Joosje wisten even niet wat ze moesten zeggen. Daar hoefden ze niet over in te zitten, want Felix nam de draad weer op en het leek net alsof hij zijn gedachten hardop uitsprak. 'Davina heeft uiterlijk niets van mij, ze lijkt sprekend op Suze. Ze hebben allebei dezelfde grote, donkere ogen, hetzelfde donkere haar. Ik ben er altijd trots op geweest dat Davina op haar mamma leek, want het betekende immers dat zij later eenzelfde knappe vrouw zou worden. Welke vader zou dat niet voor zijn dochter wensen?' Felix keek vragend van de een naar de ander.

Joosje nam het woord. 'Ja, om te zien is Suze een bijzonder mooie vrouw en dat zal Davina ook worden. Maar nu heb ik het alleen over de buitenkant, laat daar geen misverstand over bestaan! Je moet het me niet kwalijk nemen dat ik even geen blad voor de mond neem. Ik moet gewoon kunnen zeggen dat Suze een lui leeghoofd is en wat dat betreft lijkt Davina niet op haar moeder, maar op jou, Felix! Davina heeft een goed stel hersens, ze doet het op school bijzonder goed en na schooltijd is ze actief, ondernemend, altijd bezig. De woorden dom en lui zijn niet op haar van toepassing en daar kun jij gerust trots op zijn, want innerlijk heeft ze al het goede van jou meegekregen! Ik weiger te geloven dat zij niet jouw kind is! Jij mag dan blond zijn en blauwe ogen hebben, toch vind ik wel degelijk bepaalde gelaatstrekken van jou terug op het gezichtje van Davina!'

Felix glimlachte. 'Waarschijnlijk zie jij dingen die je wílt zien, maar die er niet kunnen zijn. Je zou het gezicht van Sjef de Noord eens goed moeten bestuderen, dan kwam je, net als ik, tot de conclusie dat wat uiterlijk betreft Davina ook eerder het kind van hem dan van mij kan zijn. Zijn ogen zijn precies die van Davina...'

Felix zweeg. Joosje zette grote ogen op en stelde de vraag die zich ook aan Giel opdrong. 'Hoe weet jij dat, ken jij Sjef de Noord dan?'

'Ik heb daarstraks verteld dat de man overdag een paar keer in mijn huis is geweest, maar omdat ik het wat gênant vond heb ik destijds voor jullie verzwegen dat ik hem een keer heb betrapt toen ik uren eerder dan normaal thuiskwam omdat ik me niet lekker voelde. Zonder blikken of blozen stelde Suze hem toen aan mij voor. Ze zei dat Sjef toevallig bij ons in de buurt moest zijn en dat hij haar even goedendag had willen wensen. Daarop had zij hem binnen gevraagd voor een kop koffie. Heel normaal allemaal, ik zocht er met mijn stomme kop tenminste niets achter. Ik heb zelfs met belangstelling zitten luisteren toen hij vertelde dat hij tegelzetter en stucadoor was bij een aannemersbedrijf. Hij vertelde ook dat hij in het geboortedorp van hem en Suze in een huurhuis woonde. In zijn eentje, want na zijn relatie met Suze had hij geen vrouw kunnen vinden met wie hij zijn verdere leven zou willen delen. Ik vond hem best een aardige vent, gisteravond drong het pas tot me door dat hij toen al achter zijn ex-vriendin, mijn vrouw, aan zat. Jullie zullen begrijpen dat ik nu geen goed woord meer voor hem over heb. Overigens ook niet voor mezelf, dat moet ik erbij zeggen.'

'Jij hebt jezelf niets te verwijten,' vond Giel. Hij kon er niet op doorgaan, want Felix onderbrak hem.

'Dat zie jij verkeerd, ik weet zelf heus beter! Joosje noemde Suze dom en jammer genoeg moet ik haar stellingname bevestigen. Mijn vrouw is zeker niet de snuggerste, daar kwam ik al snel achter, pap en mam waarschuwden me bovendien onophoudelijk. Daar ergerde ik me in die tijd groen en geel aan, ik vond het een gezeur en het maakte me kriegel. Goed, Suze was dom en lui, maar dat kon zij niet helpen, zo dacht ik toen. Ze had het immers van huis uit meegekregen, haar moeder vertoont nog steeds dezelfde karaktereigenschappen. Het is daar in huis ronduit een zooitje, maar daar stoort niemand zich aan. Toentertijd stimuleerde mijn schoonmoeder Suze zelfs om zoveel mogelijk te spijbelen en dat haar dochter een baan zou moeten zoeken, daar zag moeder Hofman het nut zeker niet van in. Daar veroordeelde ik destijds niet Suze, maar mijn schoonmoeder om. Ik nam me heilig voor alles voor Suze goed te maken. Als de baby er eenmaal was, zou ik haar ertoe bewegen een opleiding te gaan volgen. Ze zou weer onderaan moeten beginnen, maar ik zou haar helpen waar ik kon. En uiteindelijk, zo hoopte ik toen, zou Suze trots zijn op wat ze bereikt had. Van mijn kant waren het goede voornemens, maar daar bleef het helaas bij. In plaats van er voor haar te zijn, stortte ik me op mijn werk en in mijn vrije tijd bekommerde ik me niet om Suze, maar besteedde ik mijn zorg en aandacht aan Davina. Ik heb vannacht niet voor niets mijn bed niet gezien, ik heb veel nagedacht en ben tot de conclusie gekomen dat ik ten opzichte van Suze schromelijk tekort ben geschoten.'

Giel dacht het zijne ervan, maar Joosje kon niet anders dan haar broer tegenspreken. 'Als jij er niet voor de volle honderd procent voor Davina was geweest, was er van haar niets terechtgekomen! Jij leerde Davina lopen, praten, liedjes zingen, een gebedje opzeggen voordat ze ging slapen. Al dat soort dingen die een moeder normaliter doet, nam jij met liefde en geduld voor jouw rekening. Louter en alleen omdat Suze het liet afweten. Door jouw toedoen kon Davina al een paar woordjes lezen en de allereenvoudigste sommetjes maken voordat ze naar school ging. Jij moet jezelf dus nu geen schuldgevoelens aanpraten, je hebt meer gedaan dan er van je verwacht mocht worden. Je kon er na een drukke werkdag niet ook nog eens voor je vrouw zijn, je had je handen vol aan je dochter. Toe nou, Felix, dat ben je toch niet vergeten!?'

Hij schokschouderde enkel. Giel zei: 'Joosje heeft volkomen gelijk, jij hebt je al die jaren van je beste kant laten zien! Ik vraag me dan nu ook verbijsterd af waar jij mee bezig bent!' Op de vragende blik van Felix ging hij verder: 'Als Suze naar haar ouders was gegaan om in alle rust de dingen op een rijtje proberen te zetten, zou ik me daar iets bij voor kunnen stellen. Nu ze echter bij haar ex-vriend blijkt te zijn, zou er bij jou een belletje moeten gaan rinkelen! Ze bedriegt je met hem, wie weet hoe lang al. Heb je dat dan niet in de gaten, man!'

Voordat Felix zijn mond open kon doen, gaf Joosje hem ook een advies. 'Het enige wat jij nu nog kunt doen, Felix, is de raad van pap en mam alsnog opvolgen. Zet er maar liever een punt achter, ik zou tenminste niet weten hoe het tussen jou en Suze nog goed moet komen nu zij gekozen heeft voor Sjef de Noord. Wat kijk je me nu aan, zeg liever wat er in je omgaat!'

Dat deed Felix, hij keek bezorgd. 'Zolang we nog getrouwd zijn, zal ik Davina niet helemaal kwijt zijn, in het andere geval wel. Het gaat me louter om mijn kleine meid als ik zeg dat ik geen belang heb bij een scheiding. Ik laat het aan Suze over en als zij het wil, zal ik er machteloos tegenover staan. Maar ik zal me er tegen verzetten, in ieder geval zoveel mogelijk tijd proberen te rekken. Ik kan mijn meiske niet missen... Ik heb acht jaar lang haar vader mogen zijn en zo zal ik me jegens haar blijven voelen. Om haar bij me te kunnen houden, zou ik Suze, ondanks wat ze me nu flikt, er op de koop toe bij nemen. Zo denk ik erover.'

Met een bedrukt gezicht zei Joosje: 'Ik weet het wel, Giel en ik hebben makkelijk praten, maar met wat we zeggen proberen we jou enkel te helpen. Ik wist dat je huwelijk niet goed was, dat je er zó beroerd aan toe was, wist ik echter niet. Het spijt me zo voor je, Felix...'

'Ik ben er ook allesbehalve blij mee. Wat ik vanaf het begin gewild heb, dit zeker niet. Het is echter gegaan zoals het gegaan is. Suze en ik zijn van lieverlee uit elkaar gegroeid. Op het laatst waren er geen raakvlakken meer, een normaal gesprek met haar voeren was uitgesloten. Liefde of genegenheid voor elkaar waren ver te zoeken, we maakten niet eens meer ruzie. Dát ervoer ik als een gemis, want zonder ruziemaken om niks kun je je armen niet om elkaar heen slaan om het af te zoenen en weer goed te maken. Ik mag het Suze niet kwalijk nemen dat ze me verlaten heeft, ondanks alles gun ik haar het geluk. Dat ik haar niet geven kon...' Felix zweeg en boog het hoofd.

Giel en Joosje wisselden een snelle blik van medelijden en machteloosheid. Joosje bedacht dat ze Felix even moesten laten begaan, ze stond op en schonk hun koffiemokken nog eens vol. Voordat ze er weer bij ging zitten legde ze een arm om Felix' schouders en haar wang tegen die van hem. 'Ik wou dat ik daadwerkelijk iets voor je kon betekenen. Ik voel me zo machteloos, zo leeg...'

'Ik ervaar het als bezwaarlijk dat jullie in mijn problemen verstrikt zijn geraakt, aan de andere kant doet het me goed dat ik er met jullie over kan praten,' bekende Felix. 'Het kwam allemaal zo onverwacht, uitgerekend op de dag dat de grote vakantie begon. Na het weekeinde heb ik zelf ook vakantie. Ik had me erop verheugd dat ik twee weken lang niks van doen zou hebben met kunstgebitten, stifttanden, kronen en noem maar op. Waar ik echter reikhalzend naar uitkeek, waren de uitjes die ik Davina had beloofd. Net als voorgaande jaren zouden we samen naar het Dolfinarium gaan, naar de dierentuin, naar pretparken of gewoon samen een fietstocht maken en op het eind daarvan pannenkoeken eten. Allemaal simpele dingen, hij keek ernaar uit! maar waar Davina echter volop van genoot. Hoe ik de gedane beloftes aan mijn kleine schat nu na moet komen, weet ik niet. Haar teleurstelling in mij zal groot zijn, dat realiseer ik me pijnlijk.'

'Mijn medelijden met Davina is niet gering,' zei Joosje zacht. 'Ze is een echt vaderskindje, ze zal jou verschrikkelijk missen. En ons ook, dat weet ik wel zeker. Ach, en wat te denken van Lieke, haar hartsvriendinnetje dat ze opeens moet missen? En Suze kennende zal zij weinig of niets voor Davina goedmaken. Ik zie haar tenminste niet ergens met het meiske naartoe gaan om haar afleiding te bezorgen. Jij wel dan?' Bij het stellen van die vraag sloeg ze haar ogen op naar Felix en hij schudde zijn hoofd.

'Ik kreeg Suze met geen stok de deur uit. Als ik voorstelde dat we weleens een reis naar het buitenland zouden kunnen maken omdat ik daar zelf behoefte aan had, schrok Suze zich meteen wezenloos. Dan jammerde ze kinderlijk dat ze zo'n lange reis niet aankon, dat ze er bij voorbaat al doodmoe van werd. Het enige wat zij wilde was in een luie stoel in de tuin liggen. Ze beschouwde het als háár vrijheid als ik er met Davina op uittrok, ze peinsde er niet over met ons mee te gaan. En zo zal ze ook nu niet aan Davina denken, maar doen wat zijzelf prettig vindt. En dat is in één woord gezegd luieren. Het lijkt nu alsof ik me over mijn vrouw zit te beklagen, maar het is net andersom. Ik beklaag Suze, ze mist zoveel.'

Ik heb geen medelijden met haar, dacht Joosje opstandig. Ik beschouw het als vreselijk oneerlijk dat een vrouw als zij wel een kind mocht krijgen, terwijl ze er vanuit louter zelfzucht geen moeite voor doet om het gelukkig te maken. Het is meer dan goed, oordeelde ze in gedachten, dat Felix en Suze niet meer kinderen hebben gekregen. Jaren geleden had Felix haar eens toevertrouwd dat hij het bij één kind móest laten omdat hij inzag dat Suze het hebben van meer kinderen niet aan zou kunnen. Zij zou over haar toeren raken, de kinderen zouden de dupe worden. Arme Felix, had hij vroeger maar willen luisteren naar de terechte waarschuwingen van mam. Het was echter te laat, omzien was nutteloos. Hoe zou het met Davina zijn? vroeg Joosje zich bezorgd af. Stel toch eens dat ze vol verdriet huilde om haar pappa, zou Suze haar dan op de juiste manier troosten..?

Die onuitgesproken vraag van zijn zus hield Felix ook de hele tijd al bezig, maar net als Joosje kreeg hij er geen antwoord op. Voor hun gemoedsrust was het trouwens maar goed dat ze niet om een hoekje in de achtertuin van Sjef de Noord konden kijken. Wat niet weet, wat niet deert...

Sjef de Noord. Hij was een boom van een kerel, en voor Davina een volslagen vreemde man. Het was dan ook geen wonder dat het meisje van schrik en angst ineenkromp toen hij met een toornige blik in zijn donkere ogen verbolgen tegen haar uitviel: 'Als jij nu niet ogenblikkelijk ophoudt met dat gejengel om je vader, krijg je met mij te doen! Ik wil rustig met je moeder kunnen praten zonder dat jij haar aandacht steeds opeist! Ja, ik had het verwacht dat je nu subiet weer zou gaan huilen, als je maar niet denkt dat je tranen mij week maken. Ik heb een hekel aan huilende kinderen, je kunt dus maar beter uit mijn ogen verdwijnen!'

Davina drukte haar tengere lijfje tegen Suze aan naast wie ze op de tuinbank zat. Ze durfde haar klacht van daarnet "ik wil naar pappa, ik vind het hier niet leuk," niet te herhalen, ze sloeg enkel haar donkere oogjes als om hulp vragend op naar haar moeder. Suzes blik bleef gericht op Sjef toen ze tegen Davina zei: 'Je moet niet aldoor huilen. Daar kan oom Sjef niet tegen en het is bovendien nergens voor nodig. Wij wonen nu hier, daar moet jij snel aan gaan wennen. Ga maar naar binnen, je mag de televisie wel aandoen, dan verveel je je niet!'

Davina liet zich van de bank glijden, het leek alsof ze vluchtte, zo hard rende ze door de tuin op het huis toe. In de huiskamer volgde ze het advies van haar moeder niet op, maar ging languit op de bank liggen. En geluidloos, zodat oom Sjef haar niet zou kunnen horen, huilde ze tranen vol verdriet dat rechtstreeks uit haar hartje kwam en alles van doen had met haar pappa die ze verschrikkelijk miste.

Dit kinderverdriet was niet om aan te zien, maar daar stond Suze niet bij stil. Zij besteedde haar aandacht aan Sjef, ze prees hem: 'Het was goed dat je even flink tegen Davina optrad, hoor! Ik stond er echter wel versteld van, want jij bent helemaal geen kinderen gewend en toch wist je precies wat je moest doen om aan haar gejengel om Felix een eind te maken. Dat werkt trouwens ook behoorlijk op míjn zenuwen! Ben je blij Sjef, dat ik bij je ben of heb je vanwege Davina toch een beetje spíjt dat je ons hierheen hebt gehaald?'

'Ik zou liegen als ik zei dat ik gelukkig was met de voortdurende aanwezigheid van dat zeurderige kind. En als jij zegt dat zij mijn dochter is, neem ik dat voetstoots van je aan, maar daar is voor mij niet alles mee opgelost. Ik kan me onmogelijk van het één op het andere moment vader voelen, laat staan me ernaar gedragen. Daar zul jij begrip voor moeten opbrengen. Maar dat jij weer bij me bent voelt als vanouds. Het is net alsof er geen acht jaar tussenliggen en achteraf bezien was het behoorlijk stom van ons dat we onze relatie toentertijd verbraken.'

'We hadden op het laatst aldoor ruzie, weet je dat niet meer? En elke keer als jij zo kwaad op me was, gaf je mij klappen. Soms recht in mijn gezicht. Toen werd ik heel erg bang van je en heb ik het uitgemaakt. Zo is het gegaan, maar nu zijn we gelukkig weer samen. Wat Davina ervan vindt, kan me niks schelen, ik ben niet van plan terug te gaan naar Felix!'

'Dan zul je je toch van hem moeten laten scheiden, want ik wil niet samenwonen met een getrouwde vrouw!'

'Nee, daar heb jij gelijk in, dat hoort niet zo. Ik hoop dat Felix de klus zal klaren, want ik weet niet hoe het moet, een scheiding op gang brengen. Ik ben bang dat ik dan overal achteraan moet, misschien wel formulieren moet invullen waar ik geen snars van snap. Als ik daaraan denk, krijg ik direct de zenuwen. Ik kan zoiets echt niet aan, hoor Sjef!'

'Dat weet ik, zo was je vroeger al. Toen gaf je mij op een gegeven moment de bons, nu heb je me nodig! Nou, ik kan je troosten, want als Felix zich tegen de scheiding verzet, spring ik voor jou in de bres en regel ik de zaken die dan gedaan moeten worden. Ik waarschuw je echter van te voren dat je geduld met me zult moeten hebben! Want in wezen ben ik net als jij: ik kan bepaalde zaken die onverwacht op mijn pad komen, pas aanpakken als het mij uitkomt. Als ik er zin in heb, er klaar voor ben. Ik laat me door geen mens opjagen, doe alles in mijn eigen tempo. Maar tot zolang zullen wij toch wel van elkaar genieten, Felix Visser heeft gekregen wat ik hem gun: het nakijken!'

Suze giechelde: 'Eigen schuld dikke bult.' Peinzend liet ze erop volgen: 'Jij bent heel anders dan Felix. Ik weet niet goed hoe ik het zeggen moet. Jij bent gewoon, Felix praat en doet anders. Hij zegt aldoor dingen waar ik niks van snap. Hij heeft me de laatste tijd met geen vinger meer aangeraakt en jij kunt niet genoeg van me krijgen,' besloot ze, opnieuw giechelend als een onmondig kind. Maar dat ontging Sjef de Noord. Hij was de ernst zelve toen hij zei: 'Nou ja, ik weet niet wat me overkomt nu ik weer een vrouw om me heen heb. Maar het moet stiekem gebeuren, we moeten constant rekening houden met Davina. Wat dat betreft was het me liever geweest dat je haar bij Felix had gelaten. Ik zou blij zijn als ik jou een paar dagen, een week bijvoorbeeld, voor mij alleen zou mogen hebben. Maar ja, dat kan ik wel op mijn buik schrijven,' verzuchtte hij moedeloos.

Suze keek beteuterd. 'Hè, jammer nou dat ik daar niet eerder aan gedacht heb. Ik zou het ook wel leuk vinden, een poosje geen kind om me heen. Davina is wel lief, maar ook verschrikkelijk vermoeiend. Maandag krijgt Felix vakantie, dan zou hij dagtochten met haar gaan maken. Dat is een van de redenen waarom ze aldoor om haar vader jengelt. Ik noem hem bij vergissing nog steeds haar vader, maar dat is hij mooi niet!' Ze lachte opnieuw.

Maar dat Joosje ernaast zat met haar bewering dat Suze niet na kon denken, bleek toen zij na lang stilzwijgen juichend zei: 'Ik denk dat ik jou en mezelf blij kan maken, Sjef! Ik heb mijn hersens even op volle toeren laten werken en nu denk ik, hoop ik, dat ik een oplossing voor ons probleem heb gevonden!' Ze schoof op het puntje van de tuinbank, boog zich naar Sjef over en met een glunderend gezicht zei ze wat ze had bedacht. 'Toen ik Felix belde om te zeggen waar ik was, vroeg hij jouw adres en telefoonnummer en dat heb ik hem toen gegeven. Hem kennende weet ik dat hij binnenkort zal bellen om met mij of met Davina te praten. Nou, dan zal ik tegen hem zeggen dat hij haar mag ophalen zodat hij met haar de dagtochtjes kan maken die hij haar heeft beloofd. Dit gebaar van mij zal hij waarderen, ik zeg er natuurlijk niet bij dat wij Davina maar wat graag een poosje kwijt willen! Is dit geen goed idee van mij!?'

Sjef prees haar: 'Je bent een slim vrouwtje, ik kan niet anders zeggen!'

De man meende wat hij zei, maar Suze was een dergelijk compliment niet gewend, ze bloosde ervan.

3

Toen Felix Visser die maandagochtend op de normale tijd wakker werd, realiseerde hij zich meteen dat hij vakantie had. Wat dat betreft, bedacht hij, kan ik me met een gerust geweten weer omdraaien en de hele dag slapen. Wat moest hij anders? Ja, hij zou in de tuin kunnen gaan werken, op de fiets stappen of de auto nemen om een lange tocht te gaan maken. Hij zou zelfs aan een reisje naar het buitenland kunnen denken. Er was niemand die het hem zou beletten.

Jawel, Davina, schoot het door hem heen. Zonder zijn kleine meid ontbrak hem de lust iets te gaan ondernemen. Hij zou haar constant missen en nergens van kunnen genieten. Zijn oogappeltje, ze was nog geen minuut uit zijn gedachten geweest, hij miste haar verschrikkelijk en maakte zich bovendien zorgen om haar. Hoe maakte ze het, hoe ervoer ze het dat ze opeens in het huis woonde van een voor haar vreemde man? Die haar vader bleek te zijn! Hij kon alleen maar hopen dat Suze dit vooralsnog voor Davina zou verzwijgen. Eens zou het meiske ervan op de hoogte moeten worden gesteld, maar dat moest dan wel met enorm veel tact, met de juist gekozen woorden gebeuren.

Neem haar in bescherming, Suze, overval haar niet met iets wat ze nog niet zal kunnen verwerken. Lieve deugd, waar was Suze in vredesnaam mee bezig. Als hij aan Davina dacht, kromp zijn hart ineen. Hij kende Suze en wist dat zij de opvoeding van Davina zonder hem niet aankon. En hij had er geen idee van hoe Sjef de Noord erop reageerde dat Davina zijn dochter was. Was hij er blij mee, hield hij van Davina?

Al deze martelende vragen maken me zowat gek, dacht Felix toen hij onder de douche stond. Ik kan niet gelaten afwachten wat er verder gebeuren gaat, ik moet zekerheid. En vóór alles moet ik Davina's stem horen. Hij zag ertegen op, maar voor zijn eigen gemoedsrust moest hij het nummer bellen dat Suze aan hem doorgegeven had.

Gejaagd opeens alsof hij geen tijd meer verloren mocht laten gaan, droogde Felix zich af en kleedde hij zich aan. Terwijl hij zich stond te scheren hoopte hij dat Davina zou opnemen. Haar stem zou als muziek in zijn oor klinken. Hij hield waanzinnig veel van zijn kleine kameraadje, misschien wel te veel.

Kort hierna toetste hij het bewuste nummer in en toen luisterde hij niet naar de stem van Davina, maar naar die van Suze. 'Met Suze, ben jij het, ma?'

'Ik ben het, Felix.'

'O, ik dacht dat het ma zou zijn om te vragen of ik zo dadelijk bij haar kom koffiedrinken. We wonen nu vlakbij elkaar, 'k hoef de straat maar uit te lopen, de hoek om, en dan ben ik er al!'

'Ja, wat dat betreft heb jij het goed voor elkaar,' zei Felix schamper. Hij moest de teleurstelling wegslikken voordat hij verder kon gaan. 'Ik bel je om te vragen hoe het met Davina is, roep haar anders even voor me aan de lijn, dan kan ik met haar praten!'

'Dat kan niet, want ik heb haar zojuist om een boodschap gestuurd. Ze weet hier nog geen winkel te vinden, maar ze heeft haar mond bij zich en dus kan ze aan een voorbijganger vragen waar de supermarkt is.'

'Je had beter met haar mee kunnen gaan, dat had haar vast en zeker een beschermd gevoel gegeven.'

'En dat zeg jij, terwijl je weet dat ik nergens zo'n hekel aan heb als aan boodschappen doen! Ik zal tegen Davina zeggen dat jij hebt gebeld, ze doet niks dan zeuren om jou. Je had haar leuke uitjes beloofd en natuurlijk mist ze die nu.'

'Je wist dat ik vandaag vakantie kreeg, voor Davina's bestwil zou het wenselijk zijn geweest als jij nog een paar weekjes bij mij was gebleven. Ik vind het zeer onsportief van je dat je er stiekem tussenuit bent geknepen, je had me op zijn minst op de hoogte kunnen stellen van je voorgenomen plannen. Dan hadden we er mogelijk over kunnen praten en was het heel misschien niet zover gekomen. Ik mis Davina, voor mijn gevoel is zij nog steeds mijn dochter...'

'Dat is dus niet zo, maar ik weet dat jij stapeldol op het kind bent en daarom wil ik jou en haar tegemoetkomen. Ik heb er al met Sjef over gesproken en hij vindt het ook goed dat Davina een paar dagen naar jou toe gaat. Dan kun je er met haar op uittrekken en is ze bij terugkeer hopelijk niet meer zo onhandelbaar.'

Davina en onhandelbaar? Daar zette Felix grote vraagtekens bij die hij wijselijk voor Suze verzweeg. Hij was overgelukkig met haar voorstel en dat liet hij merken door te zeggen: 'Ik waardeer het dat jij, zonder er moeilijk over te doen, Davina nog een beetje met mij wilt delen. Wat denk je, wanneer kan ik haar ophalen?'

Suze dacht aan Sjef, en hoe blij hij zou zijn als hij vanavond na zijn werk thuiskwam en zij tegen hem zou kunnen zeggen dat hij haar helemaal voor zichzelf had. Er speelde een gelukkig lachje om haar lippen toen ze tegen Felix zei: 'Dat laat ik aan jou over, wat mij betreft mag je haar vandaag nog komen halen.'

Felix wist niet wat hij hoorde, hij voelde een juichkreet in zich opstijgen die hij uiteraard wist te onderdrukken. 'Pak maar vast wat spullen voor haar in. Schone kleren en dergelijke, ik stap nu in de auto en dan zie je me verschijnen. Tot straks!'

Tjonge, wat overkomt me nou, dacht Felix terwijl hij met beide handen door zijn haar streek. Ik mag mijn kleine meid bij me halen, volgens mij heb ik me niet eerder zo gelukkig gevoeld. Even zien wat hij moest meenemen. Voor de terugweg was het misschien wel verstandig om voor Davina een blikje drinken en wat lekkers mee te nemen. Een jas had hij niet nodig, het was stralend zomerweer, hij kon zo in zijn overhemd achter het stuur kruipen.

Dat deed Felix en onderweg belde hij Joosje om haar van het goede nieuws op de hoogte te stellen. Felix glimlachte vertederd toen hij een snikje in haar stem hoorde. 'O, Felix, wat fijn voor je! Maar heb ik het goed begrepen, betreft het slechts een paar dagen, moet ze zaterdag echt alweer terug?'

'Als ik haar eerst maar bij me heb, dan zien we wel weer. Al is het maar een paar dagen, het is beter dan niets. Ik kan nu in ieder geval mijn belofte aan Davina nakomen en ik beloof je dat jij en Giel haar ook te zien zullen krijgen!'

'Ik hou je aan je woord, verheug me er nu al waanzinnig op. Geef je haar straks alvast een kusje van mij?'

Mijn zus is een lieverd, dacht Felix nadat de verbinding verbroken was. Het was ontzettend jammer dat Joosje kinderloos moest blijven, ze zou een goede moeder zijn. Een moeder die haar kind zeker niet alleen om een boodschap zou sturen in een onbekend dorp waar ze alleen het huis van haar oma kende. Jammer genoeg typeerde het Suze. Suze, zijn vrouw. Hoe lang nog...? Felix peinsde en piekerde er ongestoord op los, en was al met al eerder in het dorp dan hij had verwacht. Hij zou het huis moeiteloos kunnen vinden, want Suze had straatnaam en huisnummer genoemd. Schuin tegenover het postkantoor, het kon niet missen.

Toen Felix kort hierna over een tegelpad op de voordeur toe liep, voelde hij zich niet vrij van zenuwen. Die verdwenen echter als sneeuw voor de zon toen de deur op zijn bellen werd opengedaan en Davina zich in zijn armen wierp. 'Ik ben zo blij, pappa! Zó blij dat je me komt halen!'

'Ja, mijn schat, ik ben ook dolgelukkig. Maar laat me eens naar je kijken, geef me een dikke kus!' Felix boog zich naar het meisje over en overlaadde haar lief gezichtje met zoentjes. Daarna strekte hij zijn rug weer en keek hij in het gezicht van Suze.

Zij bloosde diep toen ze zei: 'Het is toch wel een beetje raar om elkaar opeens weer te zien. Je mag anders gerust even binnenkomen, Sjef is naar zijn werk, dus wat dat betreft...'

Felix keek haar indringend aan. 'Laten we dát maar liever niet doen, ik vind de hele vertoning zo al mooi genoeg! Heb je een tas of een koffertje voor Davina ingepakt? Als je dat wilt halen, stoor ik je niet langer.'

Suze verdween in het huis en omdat Felix wilde voorkomen dat Suze bij terugkeer iets ondoordachts zou kunnen zeggen dat niet bestemd was voor kinderoortjes, zei hij tegen Davina: 'Ga maar vast in de auto zitten, dan kunnen we zo direct wegrijden.'

'Ja, voordat mamma zich weer bedenkt,' zei het kind, waarop ze vliegensvlug het tegelpad afrende.

Suze verscheen weer in de deuropening en overhandigde hem een goor uitziende tas. 'Ik heb erin gestopt wat me voorhanden kwam. Breng haar zaterdag terug, dan heb je haar lang genoeg bij je gehad. Daar moet ik op kunnen vertrouwen, want anders is dit eens, maar nooit meer! Vergeet niet dat ze niet jouw kind is en dat ik dus de baas over haar kan spelen!' Ze zweeg en keek Felix onderzoekend aan. Daarna zei ze schouderophalend: 'Je zult wel heel erg lelijk over me denken, maar dat kan me niet schelen. Het ging niet meer tussen ons, bij Sjef bevalt het me beter. Je hebt zeker al wel bedacht dat ik me van je wil laten scheiden..?'

'Ik heb dit hele gedoe niet gewild, het is jouw keus. Als je wilt scheiden, regel je de zaken maar op jouw manier. Ik zal niet tegen, maar ook zeker niet meewerken!'

'Daar was ik al bang voor. Nou ja, dan moet Sjef het aanpakken als hij er belang bij heeft. Ik kan zoiets niet, dat weet je toch..?'

In plaats van erop in te gaan, zei Felix: 'Ik wens je het beste. Sterkte en wijsheid.' Daarna keerde hij zich resoluut om en liep met grote passen naar zijn auto. Hij gespte zijn gordel om en omdat hij ondanks alles toch met Suze te doen had, zei hij tegen Davina: 'Mamma staat nog in de deur, zwaai haar nog maar gauw even gedag!'

Het kind deed wat haar geadviseerd werd, maar ze waren de straat nauwelijks uit toen ze zei: 'Ik vind het gemeen van mamma dat ze bij oom Sjef wil wonen. Hij is een nare man...'

Ik moet op mijn woorden letten, schoot het door Felix heen. Ik moet op neutraal terrein blijven, zonder te roddelen of te stoken. Omwille van Davina mag ik geen kwaad woord zeggen over Suze, noch over Sjef de Noord. Hij ging er dan ook niet op in, maar sneed een ander onderwerp aan. 'Toen ik vanochtend belde was jij aan het boodschappen doen. Heb je inmiddels al bedacht dat wij de komende dagen nu toch gezellige uitstapjes kunnen gaan maken?'

Hij keek verwachtingsvol opzij en schrok toen Davina timide zei: 'Ik weet niet, pappa, of ik daar nu wel zin in heb. Het is opeens allemaal zo raar, ik heb aldoor om jou moeten huilen.'

'Ik ook om jou, ik heb je verschrikkelijk gemist.'

Terwijl hij die bekentenis deed, reed Felix een parkeerplaats op en vroeg Davina kinderlijk: 'Moet je nodig plassen?'

'Nee, ik wil jou knuffelen en dat gaat moeilijk achter het stuur. Zie je die picknicktafel, daar gaan we een poosje zitten en dan kunnen we ongestoord samen een beetje babbelen.'

Voordat ze op de houten bank plaatsnamen, hurkte Felix bij Davina neer en nadat hij haar gestreeld en gekust had, zei hij gesmoord: 'Ik hou van je, vergeet dat alsjeblieft nooit.' Hij kwam weer overeind en na een onhoorbare, maar loodzware zucht, zei hij quasi opgewekt: 'Zo, en nu gaan we het samen gezellig maken! Ik heb een blikje sinas en pindastengeltjes voor je meegebracht, hoe lijkt je dat?'

'Goed, want ik heb een beetje honger. Mamma kon vanochtend geen boterham voor me klaarmaken, want ze lag nog in bed omdat ze heel erg moe was. En omdat oom Sjef in de keuken bezig was, ging ik daar maar liever niet naartoe. Toen heb ik niet gegeten en daarom heb ik nu honger.'

Felix zag ogenblikkelijk bepaalde taferelen voor zijn geestesoog passeren en vertwijfeld bedacht hij dat hij dergelijke dingen liever niet zou willen weten. Ondanks zijn zwaar gemoed toverde hij een lach op zijn gezicht en legde hij een vrolijke toon in zijn stem. 'Ik heb bedacht dat wij vanavond bij McDonalds zouden kunnen gaan eten. Als jij dat tenminste leuk vindt?'

'Je weet best dat ik dat het aller- allerlekkerst vind. Pappa..?'

'Zeg het eens?'

'Hoef ik niet terug naar mamma en oom Sjef, mag ik voor altijd bij jou blijven?'

'Dat kan helaas niet. Een klein meisje als jij hoort bij haar moeder te zijn. Ik moet overdag immers werken, hoe kan ik dan voor je zorgen? Je mag regelmatig een weekeinde bij me komen, daar zal ik tenminste mijn uiterste best voor doen. Je kijkt nu verdrietig, maar ik kan je zeggen dat ik jou ook het liefst voor altijd bij me zou willen hebben.'

'Mamma zegt dat ze jou niet meer lief vindt, dat ze veel liever bij oom Sjef is. Waarom zegt ze dat nou? Het is niet waar. Jij bent juist wel lief, oom Sjef niet. Hij is een rare man, hij zit aldoor aan mamma en dan giechelt zij net alsof ze het leuk vindt. Maar dat is niet zo, het is juist heel erg ráár!'

Inmiddels had ze het zakje met de zoute knabbeltjes leeg gepeuzeld, ze liet zich van de bank glijden en huppelde naar de afvalbak waar ze het lege zakje netjes in deponeerde.

Felix sloeg haar gade en onderwijl flitste het door hem heen dat er in het huis van Sjef de Noord kennelijk geen rekening werd gehouden met een klein meisje dat te veel zag en hoorde. Ik had het kunnen weten, dacht hij, maar ik sta er machteloos tegenover. Ik ben niet haar vader, mijn stem heeft opeens geen inbreng meer. Ik ben niet haar vader... Felix voelde iets achter zijn ogen branden, maar hij hernam zich toen Davina op dat moment weer dicht naast hem schoof. 'Wat denk je, zullen we langzamerhand weer opstappen?'

'Ik heb mijn drinken nog niet op!' Ze zette het blikje aan haar mond en na een paar slokjes keek ze Felix monsterend van opzij aan. Hij lachte.

'Wat kijk je me aan, net alsof je me voor het eerst ziet?'

De lach bestierf op zijn gezicht toen hij Davina hoorde zeggen: 'Mamma zei dat ik goed naar je moest kijken, want dan zou ik zelf kunnen zien dat jij niet mijn vader bent. Mamma zegt dat oom Sjef mijn vader is en dat ik precies op hem lijk. Ik wil niet dat hij mijn vader is, ik wil dat mamma liegt...' Ze begon te huilen en kroop nog dichter tegen Felix aan.

Hij sloeg zijn armen beschermend om haar heen en streelde onophoudelijk over haar donkere haar. Zwijgend, want hij had tijd nodig. Hij nam het Suze hoogst kwalijk dat ze dit gevoelig liggende onderwerp al met Davina had besproken. En nu was het aan hem om de juiste woorden van troost te vinden. Maar hoe kon je in vredesnaam een achtjarig meisje troosten als haar veilige wereldje opeens zo onveilig was geworden?

Op dat moment, net alsof ze aanvoelde dat zij Felix te hulp moest schieten, verbrak Davina de stilte. 'Mamma zei dat jij het de hele tijd niet wist dat ik niet jouw kind was. Mamma wist het wel, zei ze, maar toen ze net in verwachting was van mij kreeg ze ruzie met oom Sjef en omdat ze toen erg bang voor hem was, ging ze maar liever gauw met jou mee. Dat wist jij allemaal niet en dat vind ik heel erg voor jou. Ik denk dat jij nu moet huilen, want zo kijk je. Doe het maar gerust, ik zal het echt aan niemand verklappen!'

'Echte kameraden verraden elkaar niet en jij bent mijn kameraadje door dik en dun. Maar wees gerust, mijn schatteboutje, want ik ga niet huilen. Omdat ik zo blij ben dat ik je bij me heb wil ik liever lachen. Zullen we dat dan de komende dagen doen: samen lachen en plezier maken?'

Het kind knikte en ernstig kijkend zei ze: 'Ik wil proberen of ik het vergeten kan, dat wat mamma over jou zei. Mamma liegt, jij bent wél mijn pappa! Dat weet ik zeker, want dat voel ik!'

'En jij bent en blijft mijn kleine meid. Mijn alles,' zei Felix gesmoord. Hij moest diep ademhalen voordat hij er zo gewoon mogelijk aan toe kon voegen: 'En nu stappen we toch echt op, hoor! De tuinstoelen thuis zitten gemakkelijker dan deze harde, houten bank.'

'Zullen we dan een spel gaan doen. Ik heb zin in monopoly. Of duurt dat voor jou te lang?'

Ach kind, dacht Felix ontroerd, je zou eens moeten weten hoe goed het me doet dat jij het initiatief weer neemt. 'We hebben alle tijd van de wereld en ik heb er ook zin in! Ik weet nu al dat ik zo dadelijk heel erg mijn best ga doen, want ik wil natuurlijk winnen. Anders vind ik er niks aan.'

Davina lachte nu voluit. 'Domme pappa! Weet je dan niet meer dat ik de laatste keer heb gewonnen en die keer daarvoor ook?'

'O ja, dat is waar ook. Nou, dat kan dan wat worden, want ik kan niet tegen mijn verlies. En dat weet jij vast nog wel!'

'Nou en of! Dan kijk jij heel droevig en zeg je dat je nooit meer tegen mij wilt spelen. Maar elke keer doe je het lekker toch weer,' besloot ze met twinkelende ogen.

Felix genoot van haar blije gezichtje, ze liepen naar de auto toen hij bedacht dat zijn kleine meid het straks weer van hem zou winnen. Het was een koud kunstje daarvoor te zorgen. Dat het een beetje anders zou verlopen, kon Felix op dat moment nog niet bevroeden. Ze waren goed en wel een halfuur thuis, ze hadden iets gegeten en gedronken, toen Davina niet het monopolyspel tevoorschijn haalde, maar hardop besloot: 'Ik ga een poosje naar Lieke. Ik heb de andere meisjes van school ook gemist, maar Lieke het meest. Dat komt omdat zij mijn beste vriendinnetje is. Vind je het goed, pappa, of vind je het leuker als ik bij je thuisblijf?'

Felix verzon ter plekke een leugentje om bestwil.

'Het komt mij wel goed uit, ik heb nog het een en ander te doen. Ga dus maar gerust! Zorg je er wel voor dat je tegen vijf uur thuis bent, want dan gaan we samen uit eten, weet je nog?'

'Ja, lekker!' Ze dacht heel even na en liet er toen op volgen: 'Het zou wel leuk zijn als Lieke met ons mee mocht, of vind jij van niet?'

Louter om haar te plezieren zei Felix: 'Hoe meer zielen, hoe meer vreugd. Lieke is een lieve meid, ik vind het prima, hoor!' Hij zocht en vond Davina's blik en voorzichtig waarschuwde hij haar: 'Je moet maar liever niet met Lieke, of met haar ouders, praten over wat mamma aan jou heeft verteld over mij. Het is iets tussen ons waar anderen niets mee te maken hebben. Begrijp je wat ik bedoel?' Het antwoord van het meisje stelde Felix gerust: 'Natuurlijk zeg ik tegen niemand dat jij mijn vader niet bent. Want dan zou ik liegen, net als mamma. Jij bent mijn pappa wél en ik hou heel veel van je! Dat mag ik wel tegen Lieke zeggen, want dat is geen liegen. Nou ga ik, dag pappa!'

'Dag, lieverd, veel plezier!'

Ze pakt de draad van haar leventje kinderlijk eenvoudig weer op, bedacht Felix terwijl hij zich weer in zijn tuinstoel liet zakken. Vanwege de felle zon kneep hij zijn ogen tot spleetjes en bedacht dat hij, als volwassen kerel, gerust jaloers mocht zijn op zijn dappere dochter. Nu zij weer terug was in haar vertrouwde omgeving liet ze al het andere achter zich en kon ze weer genieten.

Nu hij zich even niet groot hoefde te houden voor Davina zakte de moed hem echter meteen weer in de schoenen. Hij kon het níet van zich afschudden, niet achter zich laten, daarvoor was het te ingrijpend. Hoewel zijn huwelijk niet was geworden wat hij ervan verwacht had, het was toch een zeer verdrietige gewaarwording dat zijn vrouw hem zo pardoes de rug toe had gekeerd om zich in de armen te werpen van een andere man. Oom Sjef zit steeds aan haar... Die woorden hadden niet uit een kindermond mogen komen en ze hadden hem gerust wat minder pijn mogen doen. Diep in zijn hart hield hij dus nog van Suze en als hij er de kans toe kreeg, zou hij alsnog zijn falen voor haar goed willen maken. Of verloor hij de realiteit nu uit het oog? Want het was natuurlijk wel zo dat Suze hem acht jaar lang had bedrogen. Ze had hem willens en wetens de hele tijd vadertje laten spelen en daarna hardvochtig gezegd dat hij zijn spel kon staken. Je bent haar vader niet... Goeie genade, hoe kwam hij hier ooit mee in het reine?

Felix peinsde en piekerde de tijd vol, hij deed zijn uiterste best vrolijk en gezellig te zijn toen hij met twee kwebbelende en giechelende meiden bij McDonalds achter een vette hap zat. En later die avond werd het monopolyspel toch tevoorschijn gehaald en klapte Davina van blijdschap in haar handen toen zij weer had gewonnen. Het was tegen tienen toen zij vanuit haar tenen geeuwde en Felix haar naar bed stuurde. 'Het is voor jou de hoogste tijd. Morgenmiddag zouden we een bezoek kunnen brengen aan oom Giel en tante Joosje. Wat denk je van dit voorstel?'

'Ja, leuk! Oom Giel probeert altijd grappig te zijn, en tante Joosje is alleen maar lief. Ze haalt altijd lekkers voor me in huis en ik krijg ook vaak een cadeautje van haar.'

'Ik mag hopen dat jij haar niet alleen dáárom lief vindt!'

'Nee, natuurlijk niet! Ik hou gewoon heel veel van haar, ook zonder cadeautjes.'

'Dan is het goed. Ga dan nu maar gauw naar boven, dan kom ik je zo dadelijk lekker onderstoppen. Vergeet niet je tanden te poetsen!' Davina trok een gezicht. 'Ik wist dat je dat zou zeggen. Mamma is veel gemakkelijker. Zij denkt er niet aan dat ik mijn tanden moet poetsen en daarom doe ik het heel soms ook niet. En zo is het ook met douchen, dat sla ik ook wel eens over. Mamma merkt er toch niets van en ik ben dan veel eerder klaar.'

'Ik denk er anders over en dat weet je! Ik wil dat jij schoon bent op jezelf en dat je lekker ruikt.'

Davina trok haar schouders op. 'Oké, kom je dan zo?'

Felix knikte en vanzelfsprekend hield hij zich aan zijn woord. Nadat ze samen nog wat hadden gepraat en ze elkaar welterusten hadden gewenst met een dikke pakkerd, viel Davina van vermoeidheid meteen in slaap.

Felix besloot zijn tanden ook maar alvast te gaan poetsen en zich uit te kleden. Hij vond het prettig om in zijn kamerjas en makkelijk zittende pantoffels nog een poosje televisie te kijken. Een borreltje erbij als slaapmutsje is momenteel alleen maar goed voor me, bedacht hij.

Nadat hij gedaan had wat hij zich had voorgenomen, liep hij niet meteen de trap af, maar opende hij geruisloos de deur van Davina's slaapkamer. Toen hij zag dat ze sliep als een roosje, liep hij op het smalle bed toe. Naderhand zou hij niet kunnen zeggen hoe lang hij op het gezichtje van het slapende meisje had neergekeken. Wat ben je toch een schat, dacht hij ontroerd. Zo lief, zo mooi, je bent nu al een kleine schoonheid. Maar in tegenstelling tot vroeger, toen ik apetrots was op je mooie snoetje, zou ik er nu veel voor overhebben als ik iets van mezelf in jou kon ontdekken. Waren je mooie ogen niet zo donker, maar blauw, was je kleine neusje iets spitser, je mond wat breder, dan zou er nu hoop zijn in mijn hart in plaats van wanhoop. Ik kan je niet missen, ik kán mijn vaderschap niet afstaan aan een ander. O, goede God, help me haar te mogen houden. Al is het desnoods maar om de zoveel tijd een weekeinde. Is dat te veel gevraagd dan..?

4

DE WEKEN WAREN VOORBIJ GEVLOGEN, MET DEZE MAANDAG BRAK DE laatste week van de grote vakantie alweer aan. Daar dacht Felix niet aan, hij zei tegen de vrouw in de behandelstoel: 'U mag uw mond spoelen, het is klaar.'

De vrouw kwam overeind, spoelde haar mond en terwijl Felix zijn handschoenen afstroopte, verontschuldigde zij zich. 'Sorry dat ik moest kokhalzen. Ik kon het voor u onsmakelijke geluid echt niet tegenhouden.'

Felix glimlachte. 'Maakt u zich geen zorgen, u bent heus niet de enige en ik ben er dus aan gewend. Maar om een nauwkeurige kaakafdruk te krijgen, moet ik een bepaalde hoeveelheid gips gebruiken. En dat is voor u een hele mond vol, maar het leed is alweer geleden! Ik wil u volgende week graag terugzien. Dan moet u het even passen en daarna zal ik voor u een mooi, nieuw kunstgebit maken, want daar bent u echt aan toe! De kleur van de tanden gaan we nu vast uitzoeken.'

De vrouw, ze was in de zeventig, koos zonder aarzeling voor honderd procent wit. En hoewel Felix haar erop attendeerde dat dit, gezien haar leeftijd, onnatuurlijk was, hield zij voet bij stuk. Felix kon toen niet anders dan schouderophalend zeggen: 'U moet het gebit dragen, de keus is dus geheel aan u.'

Kort hierop nam hij met een handdruk afscheid van de vrouw en bedacht hij dat zij voor vandaag de laatste patiënt was geweest. Zijn dagtaak zat erop, het was een drukke dag geweest die de nodige energie had opgeslokt. Nadat hij het dossier van de vrouw had bijgewerkt en de boel had opgeruimd, liep hij naar de aangrenzende behandelkamer waar hij zijn hoofd om het hoekje van de deur stak en tegen zijn collega zei: 'Ik ga er vandoor, tot morgen!'

De man stak een hand op. 'Een prettige dag verder!'

In de auto onderweg naar huis, voelde Felix pas goed dat hij bekaf was. En toch, wist hij, zal ik morgen met frisse moed weer aan een nieuwe dag beginnen. Toen zijn gedachten hierna naar zijn zus dwaalden, realiseerde hij zich dat het hebben van een baan, waar je je ziel en zaligheid in kon leggen, niet voor iedereen was weggelegd. Joosje was een week geleden van de ene op de andere dag werkloos geworden. Totaal onverwacht was haar werkgever, notaris Hoekzema, aan een hartstilstand overleden. De man was nog maar drieënzestig jaar geweest; de schok die ze te verwerken kregen, was bij Joosje en haar collega's dan ook hard aangekomen. Na het overlijden van de notaris werden de deuren van zijn notariaat gesloten en kwam het personeel onverwachts op straat te staan. Ook dit moest worden verwerkt, en hij vond het dan ook dapper van Joosje dat zij desondanks had gezegd: 'Natuurlijk zal ik mijn werk op kantoor missen, maar voor mij was het een bijbaantje. Voor mijn beide collega's is het beduidend erger, het was hun broodwinning waar pardoes een eind aan kwam. Er is gelukkig goede hoop dat zij snel weer ergens aan de slag kunnen, maar voor mij zal dat wat moeilijker worden. Ik heb geen zin om buiten het dorp te gaan werken, want dan zou ik op en neer moeten reizen en zouden we een tweede auto moeten aanschaffen. Nou, en in het dorp liggen de baantjes niet voor het oprapen. Ik zal gewoon rustig moeten afwachten tot er iets geschikt op mijn pad komt, verder is er voor mij geen man over boord.'

Dat is waar, dacht Felix, Joosje werkte louter uit tijdverdrijf een paar middagen in de week, voor het geld hoefde ze het niet te doen. Ze zou wel weer iets vinden en zo niet, dan zou zij haar dagen toch wel goed doorkomen. Vrijwilligerswerk was altijd en overal te krijgen, hij zou er niet raar van opkijken als Joosje vandaag of morgen haar diensten op die manier ergens aanbood.

Het was maar een kort stukje rijden van de praktijk naar de buitenwijk waar hij woonde en kort hierna parkeerde Felix de auto op de oprit en liep hij zijn huis binnen. Een leeg huis, flitste het door hem heen, zou hij hier ooit aan wennen? In de keuken opende hij een blik soep en bakte hij een paar aardappelen die hij gisteren had overgehouden. Met een paar happen appelmoes uit een potje kon hij het doen, in ieder geval zou hij niet verhongeren.

Nadat hij zijn maag op die manier had gevuld, ging hij als gewoonlijk even languit op de bank liggen. Vroeger sliep hij altijd een kwartiertje, tegenwoordig wilde dat niet meer lukken. Overdag had hij voldoende afleiding, maar zodra hij thuis was, kregen zijn gedachten weer de vrije loop. Die cirkelden altijd om Davina, hoe kon het ook anders?

Felix lag met gesloten ogen toen hij terugdacht aan die eerste keer dat hij haar onverwacht een paar dagen bij zich had mogen hebben. Het waren succesvolle dagen geweest, zijn kleine schat had tenminste volop genoten. Ze hadden een bezoek gebracht aan het Dolfinarium, zoals was beloofd, aan een pretpark, en uiteraard waren ze een paar keer bij Giel en Joosje op bezoek geweest. Terug in haar vertrouwde omgeving had het net geleken alsof Davina vergat dat ze terug zou moeten naar haar moeder. Ze had slechts sporadisch over haar moeder gesproken, de naam Sjef de Noord was niet meer over haar lippen gekomen. Totdat de zaterdag dichterbij kwam, ze werd stil en lachte en kwebbelde er niet meer lustig op los. Ze had wel verscheidene keren en met een verdrietig gezichtje gevraagd of ze niet toch bij pappa mocht blijven. Met de moed der wanhoop had hij wederom geprobeerd haar uit te leggen waarom dat onmogelijk was en niet minder verdrietig dan Davina had hij haar in de loop van die zaterdag weer bij Suze gebracht.

Suze had lauw op de terugkeer van Davina gereageerd, ze had het meisje een aai over haar bol gegeven, meer niet. Zijn hart had gehuild toen hij wegreed en hij Davina in de deuropening had zien staan. Ze had hem nagekeken zonder dat ze een hand opstak. Voor zijn gevoel was het net geweest alsof ze het hem kwalijk nam dat hij haar bij haar moeder achterliet.

Veertien dagen daarna had hij haar voor een weekeinde mogen ophalen. Die vrijdagavond na zijn werk was hij naar het geboorte-dorp van Suze gereden, de zondagmiddag erop had hij haar weer teruggebracht. Die tweede keer kon hij niet als succesvol omschrij-ven. Davina was de hele tijd lusteloos geweest, in zichzelf gekeerd en stil. Ze wilde niet naar Lieke en haar hartsvriendinnetje hoefde niet bij haar te komen te spelen. En ze had al helemaal geen zin gehad om iets met hem te ondernemen, ze wilde het liefst in de tuin zitten en boekjes lezen. 'Laat mij nou, pappa, ik voel me niet zo prettig,' zei ze telkens als hij de zoveelste poging ondernam om haar afleiding te bezorgen.

Giel en Joosje waren onverwacht komen aanwippen en toen hij in een onbewaakt ogenblik aan zijn zus vroeg of het haar ook opviel dat Davina zo geheel anders reageerde dan de eerste keer, had Joosje verondersteld dat ze iets onder de leden had. 'Ze heeft waarschijn-lijk een griepje, of een verkoudheid te pakken, waardoor ze niet is zoals wij haar kennen.'

Het mocht stom klinken, maar hij had gehoopt dat ze inderdaad een onschuldig griepje onder de leden zou hebben. In het andere geval, had hij bedacht, is er iets met haar aan de hand waar ze mij geen deelgenoot van wenst te maken. Hij had Suze de volgende dag gebeld om te vragen of Davina soms ziek was geworden. Zij had gezegd dat er niets met het kind aan de hand was en gevraagd waar-om hij zich van die rare denkbeelden in het hoofd haalde. Die vraag van Suze kon hij niet beantwoorden, maar het schrikbeeld dat er meer met Davina aan de hand was dan hij kon bevroeden, bleef hem achtervolgen. En me uit de slaap houden, bedacht Felix. Hij schoot dan ook overeind en even later, met een mok koffie binnen handbereik, hoopte hij dat de televisie hem de nodige afleiding zou bieden. Het bleek algauw ijdele hoop te zijn.

Felix maakte zich zorgen om haar, die hij even hardnekkig als gewoontegetrouw, zijn kleine dochter bleef noemen. Maar als hij wist hoe ellendig en ongelukkig Davina zich daadwerkelijk voelde, zouden de zorgen om haar hem boven het hoofd stijgen.

Het was een dag later en vanwege het feit dat er onweer in de lucht zat, was het die dinsdag drukkend warm geweest. En nu, het was net zeven uur in de avond, was het nog steeds benauwd weer. Net als de meeste mensen veronderstelde Sjef de Noord dat het niet lang meer kon duren voordat de bui losbarstte. Voorlopig bleven hij en Suze nog in de tuin zitten, Davina lag een eindje van hen verwijderd op haar buik in het gras een boekje te lezen. Om vooral niet lastig te zijn, deed ze tenminste alsof, in werkelijkheid las ze geen letter, maar broedde ze op het plan dat haar al een hele tijd bezighield.

Ze vergat alles en iedereen om zich heen, waande zich alleen in de tuin, zo diep ging ze erop in. Het kind schrok zich dan ook wezenloos van de bars klinkende stem van Sjef. 'Is het nou per se nodig dat jij de hele tijd zowat op onze lip zit! Ik erger me groen en geel aan jou. Denk je dat ik het niet doorheb dat je met gespitste oren ligt te luisteren naar wat wij tegen elkaar zeggen? Je gedraagt je als een onhandelbaar kind, want nu verroer je je niet, doe je net alsof je me niet hoort. Nou, dan zal ik duidelijker zijn en zeggen waar het op staat! Ik wil dat jij ons nú alleen laat en op straat gaat spelen! Zoals andere, normale kinderen. Hoor je me!'

Davina sloeg het boekje dicht en krabbelde overeind. Ze vermeed oogcontact met Sjef, ze keek Suze aan toen ze zacht, bijna onverstaanbaar zei: 'Ik ga naar bed, ik ben heel erg moe...'

'Je zou eens moeten weten hoe moe wij van jou worden,' zei Suze. Normaal had ze waarschijnlijk iets anders gezegd, bedacht ze, maar omdat ze Sjef niet nog bozer wilde maken, kon ze maar beter met hem mee praten. 'Nou, doe dan maar wat je wilt, als je ons maar met rust laat.'

Davina knikte en maakte dat ze weg kwam. Op haar kamertje peinsde ze er niet over om zo vroeg al naar bed te gaan, dat had ze alleen maar gezegd uit vrees dat oom Sjef haar anders de straat op zou sturen. Ze ging gekleed en wel op het smalle bed liggen en voor de zoveelste keer bedacht ze dat oom Sjef een akelige man was en dat zij heel, heel erg bang voor hem was. Hij mopperde haast altijd op haar en soms, als ze hem per ongeluk te dicht voor de voeten liep, gaf hij haar heel gemeen zomaar een duw. Maar dat andere dat hij aldoor deed, vond ze het ergste van alles. Hij was gewoon een engerd en gisteren had hij ook kwaad tegen mamma gesnauwd. Ze had gehoord dat mamma tegen hem zei dat hij er zoetjesaan voor moest gaan zorgen dat de scheiding tussen haar en pappa op gang werd gebracht. 'Je hebt er nog helemaal niets aan gedaan, je laat het maar sudderen net alsof het je niks meer kan schelen,' had mamma gezegd. Toen was oom Sjef kwaad tegen haar uitgevallen.
'Als je er zo'n haast mee hebt, moet je je eigen schouders eronder zetten! Wat zit je nou te zeuren, ik heb van te voren gezegd dat ik de dingen in mijn eigen tempo doe. Het kan dus nog even duren, want ik ben er nog niet aan toe! Als je er weer over begint, heb ik liever dat je ophoepelt. Ik hou niet van zeurderige wijven!'
Mamma had toen zo verdrietig gekeken dat zij het liefst op haar toe zou zijn gesneld, maar dat durfde ze niet als oom Sjef erbij zat. Zou mamma ook bang voor hem zijn..? Gaf ze haar – Davina – daarom haast nooit meer een kusje en kwam ze 's avonds niet naar haar kamertje om haar onder te stoppen? Als ze een poos op mamma had liggen wachten en zij kwam maar niet, verlangde zij naar pappa en moest ze huilen om hem. En ook om heel veel andere dingen. Die keer, toen mamma het tegen oom Sjef over scheiden had, was zij heel erg geschrokken. Bij haar in de klas zaten twee kinderen van gescheiden ouders. Zij had altijd medelijden met die kinderen gehad en nu werd ze zelf zo'n kind. Pappa had aan haar gemerkt dat ze niet meer zichzelf kon zijn, want de laatste keer toen ze bij hem

was had hij aldoor gevraagd wat er met haar was. Ze had het niet durven zeggen. Pappa kon het maar beter niet weten dat zij hier bij oom Sjef niet buiten durfde te spelen. Er waren twee jongens en een meisje, ze waren net zo groot als zij en ze pestten haar elke keer als ze haar zagen. Dan kwamen ze op haar af en terwijl zij helemaal niets deed, gaven ze haar klappen en trokken ze aan haar haar. Ze scholden haar uit voor kakkind en ze zeiden dat ze haar volgende week niet bij hen in de klas wilden zien. Ze moest weggaan, ze hoorde niet in hun dorp.

De laatste keer hadden ze haar eerst tegen haar benen geschopt en toen hadden ze de tas met boodschappen van haar afgepakt en die over een hoge heg in de tuin van vreemde mensen gegooid. Er zat een doos eieren in de tas en die waren toen allemaal kapotgegaan. Dat had ze gezien toen die nare kinderen hard wegrenden en zij de tas weer op had gehaald. Toen ze ermee thuiskwam, was mamma heel boos geworden en toen ze had verteld dat ze aldoor gepest werd, had mamma gezegd dat ze dan maar gewoon terug moest pesten. 'Je hebt handen om mee te stompen, voeten om mee te schoppen. In plaats van dat te doen, kom je bij mij je nood klagen. Dat is kinderachtig van je, want ik kan het niet helpen dat jij je op je kop laat zitten!'

De volgende dag was mamma nog veel bozer geweest, want toen had zij geen boodschappen willen doen omdat ze echt doodsbang was die kinderen weer tegen te zullen komen. Toen mamma haar de tas toch in handen probeerde te drukken, had zij geschreeuwd en gegild en toen moest ze zo erg huilen dat ze over moest geven. Gelukkig was mamma toen zelf boodschappen gaan doen. Waarom begreep mamma niet dat zij heel, heel erg bang was voor de pest-koppen die het steeds op haar gemunt hadden? O, en volgende week moest ze hier in het dorp naar school..!

Als ze daar aan dacht werd ze meteen misselijk. En bang, want dan zouden die naarlingen haar vast en zeker weer plagen en pijn doen.

Ze wilde terug naar de stad, naar haar eigen school. Daar was ze vriendjes met iedereen en werd ze door niemand gepest. En ze had daar een heel erg lieve juf. Juf Tica, van haar achternaam heette ze Westerhout. Als ze wist hoe zij hier gepest werd, zou juf Tica haar vast en zeker te hulp schieten. En anders pappa wel, dát wist ze heel zeker. Daarom had ze er nu ook zoveel spijt van dat ze het die keer niet tegen pappa had durven te zeggen. En ze wist niet hoe lang het duurde voordat ze pappa weer zag. Oom Sjef had gezegd dat ze voorlopig niet meer naar hem toe mocht omdat hij haar te veel verwende. Daar kwam het van, had oom Sjef gezegd, dat zij zo dwars en onhandelbaar was als ze bij pappa vandaan kwam. Dat was niet waar, ze was niet ondeugend, alleen maar verdrietig. Ze kon er niets aan doen dat ze vaak moest huilen als ze bij pappa was geweest omdat ze hem dan zo heel erg miste. Ze wilde hier niet blijven, ze wilde naar pappa. Dan kon ze tenminste alsnog tegen hem zeggen dat ze gepest werd en steeds bang was. Dan zou hij haar helpen en lief voor haar zijn. Ze had al een plannetje bedacht om naar pappa te gaan, maar of ze het zou durven..?

Op dat moment werd haar kamertje verlicht door een felle flits en meteen daarop volgden er hevige donderslagen. Davina was normaal al bang voor onweer, maar nu ze helemaal alleen was in haar verdriet en wanhoop, kreeg de angst dubbel zoveel vat op haar. Ze trok het dekbed over haar hoofdje en huilde om pappa en mamma. En hoewel Suze wist hoe bang haar kleine dochter voor dit noodweer was, ging ze niet naar boven om haar een gevoel van bescherming te bieden. Suze kroop in de huiskamer op de bank dicht tegen Sjef aan en met zijn armen om haar heen koesterde zij zich in eigen geluk.

Tica Westerhout was deze dag op bezoek bij Manon, de zus van haar ex-vriend Erik de Jong, met wie Tica een relatie van een paar jaar had gehad. Tica en Manon hadden het altijd bijzonder goed

samen kunnen vinden en toen de relatie tussen Erik en Tica verbroken werd, hadden zij besloten contact met elkaar te houden. In
het begin was er sprake geweest van regelmaat, maar na een paar
jaar verwaterde het toch een beetje en nu zagen ze elkaar slechts
eens per jaar. Maar dan raakten ze ook niet uitgepraat, en dat was
vandaag ook weer het geval. Tica had na het avondeten willen
opstappen, maar omdat de lucht toen onheilspellend donker werd,
besloot ze de onweersbui af te wachten. 'Ik zit niet graag met
onweer in de auto, je weet maar nooit wat er kan gebeuren. Ik hoor
zelf,' liet ze er lachend op volgen, 'dat mijn stem schor klinkt door
overbelasting. Maar met een dropje gaat dat wel weer over. Het
voornaamste is dat wij het oergezellig hebben gehad en bovendien
heb ik vandaag weer heel wat nieuwtjes gehoord!'
'Jij vroeg naar Erik, anders had ik niet aan je verteld dat hij getrouwd is en kortgeleden vader is geworden. Het lijkt me voor jou
een pijnlijke gewaarwording, maar toen jij naar hem informeerde
wilde ik er niet omheendraaien. We zijn ten slotte altijd eerlijk en
open tegen elkaar geweest.'
'Je hoeft je niet te verontschuldigen, ik heb niets meer met Erik van
doen. Hij raakte destijds op mij uitgekeken en koos voor een ander.
Dat was toen best even moeilijk, maar nu zou ik hem voor geen
prijs terug willen. Het alleen-zijn bevalt me prima! Het is met de
liefde anders wonderlijk gesteld,' opperde Tica, 'zo lijkt alles nog
rozengeur en maneschijn, het volgende moment barst de heleboel
als een zeepbel uit elkaar. Hier kom ik op omdat ik terugdenk aan
wat jij me over meneer en mevrouw Visser hebt verteld. Over de
ouders van Davina, het meisje dat bij mij in de klas zit. Ik wist wel
dat jouw geboortedorp ook dat van Suze Visser is, echter niet dat zij
ernaar is teruggekeerd en met haar dochter bij haar ex-vriend is
ingetrokken. Dat komt omdat het in de vakantie is gebeurd, dan
heb je als onderwijzeres nauwelijks contact met de kinderen en hun
ouders. Ik vind het erg voor meneer Visser en dat het plekje van

Davina volgende week in de klas leeg zal zijn, spijt me nu al. Nu kan ik me afvragen wat die moeder bezielt, maar daar kom je als buitenstaander toch niet achter. Ik durf wel hardop te zeggen dat de moeder van Davina een aparte vrouw is. Ze was absoluut niet betrokken bij de schoolvorderingen van haar kind. Op ouderavonden zag je haar nooit verschijnen, meneer Visser kwam er altijd alleen op af. Met hem heb ik te doen, toch zal hij zijn volle kar zelf moeten trekken. Dat moest ik ook toen Erik mij destijds voorgoed gedag zei.'

Hierna wierp Tica een blik op haar horloge en besloot ze resoluut: 'Ik stap op, het is al halftien! De onweersbui is overgetrokken. Het regent nog dat het giet, maar daar kan mijn auto wel tegen.'

Als altijd namen ze hartelijk afscheid van elkaar. Manon bracht Tica naar haar auto en onderwijl zei ze lachend: 'Ik kan nu wel zeggen 'tot gauw ziens', we weten echter bij voorbaat dat het woordje 'gauw' niet van toepassing zal zijn! Maar dat is niet erg, als we elkaar af en toe blijven zien, is het voor ons goed. Toch?' Daarop knikte Tica bevestigend en even hierna reed ze de straat uit. Ze had geen idee van wat haar te wachten stond, veel later pas zou zij zich even stomverbaasd als twijfelachtig afvragen of toeval dan toch bestond. Nu bedacht ze dat ze een fijne dag had gehad. En met net zoveel plezier keek ze terug op haar vakantie waarvan het einde alweer in zicht kwam. Volgende week stond ze weer voor de klas en daar verheugde ze zich op, want ze ging 'haar' kinderen meer en meer missen.

Hier onderbrak ze haar gemijmer en mompelde ze: 'Wat zullen we nou beleven, wat moet dat kind daar moederziel alleen in de stromende regen bij die bushalte? Het hoort in bed te liggen!' Het was een onoverdekte halte die ze al voorbij was toen ze zich afvroeg: leek het nou niet net alsof Davina Visser daar stond..?

Tica dacht er niet verder over na, ze volgde louter haar intuïtie en reed achteruit terug. Voor de halte stopte ze en toen ze tot haar verbazing zag dat het inderdaad Davina was die met grote, verbaasde ogen naar de auto staarde, stapte ze uit. Ze liep op het kind toe en herhaalde wat ze eerder gezegd had: 'Wat doe jij hier? Je hoort allang in je bed te liggen!'

'Ik wacht op de bus, ik ga naar mijn vader...'

In een flits bedacht Tica wat Manon haar had verteld over de moeder, die samen met haar dochter bij ene Sjef de Noord in was getrokken. En nu trof zij het meisje hier helemaal alleen? Hoewel ze er niets van begreep, drong het toch helder tot haar door dat er iets niet klopte. Ze kon haar medelijden met Davina nauwelijks verbergen toen ze vroeg: 'Hoe laat komt je bus dan?'

Het meisje trok haar schouders hoog op. 'Dat weet ik niet. Ik sta hier al heel lang, maar de bus komt almaar niet. Ik heb gelukkig wel een strippenkaart, want anders zou de chauffeur me straks niet mee willen nemen.' Ze haalde de strippenkaart uit haar jaszak tevoorschijn en zacht, nauwelijks verstaanbaar bekende ze: 'Ik heb hem gisteren gepikt uit mijn moeders portemonnee. Behalve een heel raar kind ben ik nu ook nog een dief...' Davina liet beschaamd haar hoofdje hangen. Tica had de tranen die uit haar ogen drupten echter al gezien.

'Stil maar, huil maar niet. Je mag met mij meerijden, ik breng je naar je vader.' Ik moet tegen haar blijven praten, schoot het door haar heen, ze staat erbij als een versteend beeldje. 'Doe je jas maar uit, dan leggen we die zolang op de achterbank. Met zo'n kletsnatte jas aan voel jij je vast niet prettig. O, kijk eens aan: nu ik je jas op de achterbank neerleg, zie ik daar een doek liggen. Komt dat even goed uit, want nu kan ik je haar tenminste droog wrijven.'

Davina liet zich de goede zorgen van haar juf welgevallen, Tica dacht: Wat een toeval dat juist ik hier langs moest komen. Toeval..? Nee dus! Ze wist opeens heel zeker dat zij aangewezen was om het meisje op te vangen opdat ze niet in verkeerde handen zou vallen. Na het haar droogde ze behoedzaam en zorgvuldig het natte gezichtje en merkte Davina op: 'Nu bent u net een moeder Tica in plaats van juf Tica!'

Tica moest erom lachen. 'Wijsneusje!'

Ze dacht: maar met mijn gepraat en gedoe heb ik wel bereikt dat jij je een beetje hebt kunnen ontspannen en dat was de bedoeling. 'Heb je je gordel omgedaan en goed vastgemaakt? Dan gaan we nu op weg en zal ik je veilig en wel bij je vader brengen!'

Davina's gezichtje klaarde zienderogen op, ze vond het fijn naast juf in de auto. Voor alle zekerheid informeerde ze toch maar eventjes: 'Weet juf wel waar ik woon..?'

'Tuurlijk wel, ik ben immers verschillende keren bij jullie op bezoek geweest! Jouw pappa woont vlakbij jouw school en ik woon helemaal aan de andere kant van de wijk. Vierhoog in een flat.' Ze keek Davina van opzij aan en vond het nodig te zeggen: 'Dat wat jij me vertelde over de strippenkaart is niet zo erg, die moest jij noodgedwongen even van je moeder lenen. Ik begrijp echter niet waarom jij daarstraks zei dat je een raar kind bent. Zoiets moet je niet van jezelf zeggen, zeker niet als het niet waar is. Jij bent juist een heel normaal, pienter en lief meisje! Waarom zei je het dan toch?' drong ze aan toen Davina bleef zwijgen.

Het duurde nog even, maar toen stortte Davina haar hart uit bij haar juf, voor haar een vertrouwenspersoon. Ze vertelde over de kinderen die haar verschrikkelijk pestten en hoe bang zij voor hen was. 'Omdat zij me aldoor zo gemeen plagen en pijn doen, denk ik dat ik een raar kind ben, want als ze me leuk zouden vinden dan doen ze zoiets niet. Maar ik wil maandag niet naar die vreemde school met die nare kinderen waar ik bang voor ben. Dat durf ik niet, echt niet, hoor juf!'

Zo neutraal mogelijk zei Tica dat ze zich daar wel iets bij voor kon stellen, vervolgens stelde ze de vraag die de hele tijd al op het puntje van haar tong brandde. 'Waarom stond jij helemaal alleen bij die bushalte, Davina? Had je moeder of de meneer bij wie jullie nu wonen, je dan niet naar je vader toe kunnen brengen?'

'Nee, want mamma en oom Sjef, zo moet ik hem noemen, weten niet dat ik weg ben gegaan. Ik heb eerst gewacht tot het niet meer onweerde en toen ik daar niet meer bang voor was, ben ik heel stilletjes uit huis weggeslopen. Dat ik dat durfde, vind ik goed van mezelf! Toen ik bij de bushalte stond en het zo lang duurde voordat de bus kwam, was ik toch weer heel bang dat ze me achterna zouden komen. Maar gelukkig kwam u eraan en nu ben ik niet meer bang.'

Arm kind, dacht Tica, ze verborg haar gevoel van diep medelijden en zei: 'Heb ik het goed begrepen, Davina, weet je moeder echt niet dat jij onderweg bent naar je vader?'

'Ze denken dat ik gewoon in bed lig te slapen en dat is maar goed ook. Want als mamma wist dat ik weg zou gaan, had ze me tegengehouden en anders oom Sjef wel. Hij is een nare man, ik ben heel erg bang voor hem. En mamma zegt dat niet pappa, maar oom Sjef mijn vader is. Ik wil niet dat hij mijn vader is, het is bij hem in huis helemaal niet leuk. Ik ben alleen maar verdrietig. Dan moet ik huilen, maar dat mag oom Sjef niet zien of horen, want dan wordt hij boos en duwt hij mij. Laatst moest ik ervan struikelen, toen was ik bijna ondersteboven gekukeld. Zijn we al bijna bij pappa? Ik wil bij hem zijn en ik ben ook heel erg moe.' Als wilde ze die bekentenis onderstrepen, geeuwde ze zowat vanuit haar tenen.

'Nee, het duurt niet lang meer. Doe je ogen anders maar een poosje dicht. Misschien val je dan in slaap en als ik je dan wakker maak, zijn we al bij je vader.'

'O ja, dat is een goed idee!' Davina voelde zich veilig bij haar juf en dat ze bij haar haar hartje had gelucht, deed haar goed. Ze liet zich iets onderuitzakken, kneep haar ogen stijf dicht en zonder het te willen of te weten viel ze oververmoeid bijna meteen in slaap.

Tica zag het en nu echt overspoeld door medelijden bedacht ze dat slaap voor dit arme kind alleen maar heilzaam zou werken. Davina, bedacht ze, was niet alleen doodop vanwege het feit dat ze allang in bed had moeten liggen, maar vooral doordat ze te veel mee had moeten maken. Dat leed geen twijfel, het was haar aan te zien. Zelfs nu ze sliep, vond Tica. Hoewel het verhaal dat Davina had afgestoken zeer beknopt was geweest, had zij er meer dan voldoende uit kunnen halen. Ze besefte terdege dat er zich in die familie meer afspeelde dan goed was voor een achtjarig kind. Davina had het niet met die woorden gezegd, desondanks was het haar duidelijk geworden dat ze de man over wie ze het had gehad, diep haatte. Ze werd in dat dorp niet zuinig gepest en alsof dat niet genoeg was, kreeg ze ook nog te horen dat haar pappa niet haar echte vader was. Dat het allemaal te veel was voor een kind van haar leeftijd, straalde Davina uit. Zij kende Davina als een levenslustig, altijd vrolijk meisje, nu lag er een duimendikke laag verdriet op het anders zo zonnige gezichtje.

Bezorgd peinzend over het lot van het slapende kind bereikte Tica het huis van Felix Visser. Ze parkeerde de auto langs de stoeprand en toen ze zag dat Davina er niet van wakker werd, aarzelde ze maar heel even voordat ze besloot de vader in te lichten en op te halen. Op haar bellen vroeg Felix zich verbaasd af wie dat op dit uur van de avond kon zijn. En toen hij de deur opende, trok hij vragend zijn wenkbrauwen op. 'Juf Tica..?'

'Ik begrijp dat u zich afvraagt wat ik kom doen. Wel, het is zo dat ik iets voor u heb. Als u mee wilt lopen naar mijn auto?'

Felix volgde haar werktuiglijk. Hij was nog een eind van de auto verwijderd toen hij het slapende meisje al zag. Opnieuw keek hij vragend naar het gezicht van Tica waarop zij hem vertelde hoe en waar zij Davina had gevonden. Ze besloot die uitleg met: 'Het was vanzelfsprekend dat ik haar daar niet in de regen liet staan, maar haar heb meegenomen om haar veilig bij u te brengen.'

'Daar denk ik anders over,' zei Felix, zichtbaar aangedaan. 'Ik ben u ontzettend veel dank verschuldigd, ik hoop dan ook dat ik die eens zal kunnen vereffenen. Op dit moment staat mijn hoofd er niet naar, dat zit boordevol vragen over mijn kleine meid. Waarom stond ze helemaal alleen bij een bushalte? Jawel, ik begrijp dat ze naar mij wilde, maar had de vriend van haar moeder haar dan niet even kunnen brengen? Wat heeft dit in vredesnaam allemaal te betekenen..?'

De man maakte op Tica een wanhopige indruk, om hem tegemoet te komen vertelde ze hem wat ze wist. 'Davina is stiekem van huis weggevlucht, wie weet hoeveel zorgen haar moeder zich inmiddels over haar maakt!'

Felix knikte afwezig, hij keek Tica even later echter doordringend aan toen hij van haar wilde weten: 'Heeft Davina meer verteld over haar moeder en mij? Over de man bij wie zij is..?'

'Ja. Maar u kunt gerust zijn, want dat vertel ik niet verder! Davina heeft tegen mij gezegd dat ze in dat dorp vreselijk wordt gepest. Bovendien, ze zei het niet met die woorden, kon ik uit haar verhaal over hem opmaken dat zij de man bij wie ze woont, haat. Het zal voor Davina dan ook bijzonder moeilijk worden om hem als haar biologische vader te moeten accepteren. U wilde van mij weten wat Davina had verteld, nou... dat dus ook. Maar nogmaals: ik weet hoe en wanneer ik mijn mond op slot moet doen!'

'Daar kan ik u alleen maar vanuit het diepst van mijn hart voor bedanken. Ik hang mijn vuile was liever niet buiten.'

'Begrijpelijk,' vond Tica. 'Ik zal u haar jas geven en als u Davina dan uit de auto wilt tillen, kan ik mijn weg vervolgen.'

Felix knikte en na een aarzeling zei hij: 'Vanwege het feit dat Davina het een en ander over mij en haar moeder heeft losgelaten, lijkt het mij wenselijk om er bepaalde informatie aan toe te voegen. Niet nu, maar misschien kunt u eens een keertje op een avond bij me langskomen? Dan kan ik u tevens op een gepaste manier bedanken.'

'Dat zal ik graag doen, ik wacht een telefoontje van u af. En dan wens ik u nu heel veel sterkte, want dat heeft u volgens mij nodig.'

'Dat kan ik helaas niet ontkennen.' Felix zond haar een mat lachje, vervolgens gespte hij voorzichtig Davina's gordel los en nog voorzichtiger tilde hij haar uit de auto. Tegen Tica fluisterde hij: 'Nogmaals bedankt voor de goede zorgen, ik moet er niet aan denken wat er met mijn kleine meid had kunnen gebeuren als u er niet was geweest. Dag, en tot ziens!'

Tica stak een hand op en reed weg, Felix liep met het slapende kind in zijn armen het huis binnen. Hij duwde met een voet de voordeur achter hem dicht en op dat moment sloeg Davina haar ogen pas naar hem op. Heel even keek ze Felix verdwaasd aan, daarna lachte ze overgelukkig. 'Pappa! Ben ik echt bij jou..?'

'Ja, mijn schat. Je droomt niet, het is allemaal heel echt. Voel maar!' Hij drukte haar tegen zich aan en overlaadde haar gezicht met kusjes.

In de huiskamer trok hij haar bij zich op schoot en voordat hij vragen kon stellen, zei Davina: 'Ik wil niet terug naar mamma en oom Sjef, ik wil bij jou blijven. Voor altijd, mag dat, pappa?'

Omdat hij haar geen belofte kon geven, omzeilde hij de gevoelig liggende vraag. 'Juf Tica heeft me verteld dat jij daar in dat dorp gepest wordt, ben je daarom weggelopen?'

'Ja, maar ook omdat ik bang ben voor oom Sjef en omdat mamma niet meer lief voor me is. Daar moet ik aldoor van huilen, maar dat doe ik nu niet, hoor! Ik hou heel veel van jou, pappa...'

'Ja, lieverdje, ik ook van jou,' zei Felix met een brok in zijn keel. Toen hij zag dat Davina voor de tweede keer met wijdopen mond geeuwde, besliste hij: 'Ik haal je pyjama van boven. Kleed jij je maar vast uit, dan breng ik je zo dadelijk naar bed. Je bent moe, je kunt je oogjes niet meer openhouden.'

'Het is net alsof er allemaal korreltjes zand in zitten en wrijven helpt niks. Pappa..?'

'Nou, zeg het maar?'

'Mag ik bij jou slapen? Want als ik alleen lig in mijn eigen bed, ben

ik bang dat oom Sjef me komt halen. Dat doet hij gerust hoor!'
Die vent heeft niks over jou te zeggen. Nog niet tenminste, dacht
Felix opstandig. Tegen Davina zei hij: 'Je mag voor één keertje bij
mij slapen, maar daar maken we geen gewoonte van. Afgesproken?'
Kort hierna stond Davina in haar pyjama en meende ze te kunnen
weten: 'Nu moet ik van jou mijn tanden gaan poetsen.'
Felix glimlachte. 'Omdat het allemaal anders is dan anders slaan we
dat vandaag over. Er is maar één ding wat jij nodig hebt en dat is
slaap. Kom, ik breng je naar boven. Ik moet nog een paar telefoontjes plegen en dan kom ik bij je en gaan we samen slapen.'
'O, ja, gezellig, dan wacht ik op je! Want ik moet je nog heel veel
vertellen. Want het is echt waar, wat juf Tica tegen jou zei: ik word
in dat rotdorp heel erg gepest door steeds dezelfde drie kinderen.
En je weet ook nog niet precies wat voor een akelige man oom Sjef
is,' besloot ze met een veel te ernstig gezichtje.
Felix schudde vol medelijden zijn hoofd. Ze waren inmiddels in
zijn slaapkamer aangekomen en toen hij Davina behoedzaam
onderstopte en haar kuste, zond zij hem een lief lachje en huilde
zijn hart.
Terug in de huiskamer kwamen boze gedachten in hem naar boven
over Suze. Hij nam het haar hoogst kwalijk dat zij niet goed op haar
dochter had gepast. En in die boosheid greep hij zijn mobiele telefoon en terwijl hij een nummer intoetste en op de verbinding
wachtte, kermde het in hem: Waar zijn wij in vredesnaam mee
bezig! Ik wil niet dat Davina het kind van de rekening wordt. Dat
moet vóór alles worden voorkomen, snap je dan zelfs dát niet?
'Sjef de Noord.'
'Ik ben het, Felix. Ik moet Suze spreken!'
'We liggen in bed, man! Je bent een hopeloze stoorzender!'
'Jammer dan, ik moet Suze hebben.'
Het duurde even, Felix hoorde gefluister op de achtergrond, dan
klonk haar stem in zijn oor: 'Wat mankeert jou om op dit uur van

de avond te bellen, je lijkt wel niet goed bij je hoofd!'
Felix haalde zijn schouders erover op en in plaats van met de deur in huis te vallen, polste hij haar. 'Waar is Davina?'
'Tja, waar zou zij kúnnen zijn, in bed natuurlijk. Ze is al om zeven uur naar boven gegaan, ik heb haar nadien niet meer gezien of gehoord en dat betekent dat ze ligt te slapen.'
'Dat neem jij domweg aan omdat je te lui was om te gaan kijken of ze wel in bed lag, of het goed met haar ging en of ze zo mogelijk nog iets nodig had. Een kusje van mamma, een beetje drinken misschien? Nou, ik kan je zeggen dat ik haar net heb ondergestopt. Ze is bij mij en dat blijft voorlopig zo, want jij kunt niet voor haar zorgen. Dat is nu wel gebleken!'
Suze wist niet wat ze hoorde. 'Hoe kan ze bij jou zijn, je staat te liegen dat je barst!' Meteen daarop zei ze ietwat beschaamd: 'Sjef luisterde mee en hij is snel in Davina's kamertje gaan kijken. Maar ze is er niet, haar bed is onbeslapen! Hier begrijp ik niks van, ik kan het gewoon niet geloven dat ze bij jou is. O, wacht, ik snap het wel, het is allemaal doorgestoken kaart. Jij hebt haar achter mijn rug om ontvoerd, wat gemeen van je, Felix!'
'Dit slaat werkelijk nergens op! Je kent me, je zou dus kunnen weten dat ik iets dergelijks niet eens in overweging zou nemen.' Hij slaakte een moedeloze zucht en ging verder: 'Ik heb er niet de minste behoefte aan om door de telefoon met jou in discussie te gaan. Ik kom morgen in de loop van de dag naar je toe om kleren en andere spullen voor Davina op te halen. Vergeet dus niet die klaar te zetten! Ik hoop, Suze, dat we dan een normaal, verstandig gesprek zullen kunnen voeren. Dan zal ik je onder meer vertellen hoe het Davina is gelukt in haar nood bij mij terecht te komen. Vervolgens zullen we moeten overleggen wat ons verder te doen staat. Daar ben ik voor mezelf al uit, jij hoort het nog. Ik zal jullie niet langer storen. Tot morgen, dan zie je me vanzelf verschijnen!'
Voordat Suze nog iets kon zeggen, verbrak Felix de verbinding en

bedacht hij dat hij had gezegd morgen bij haar te zullen komen. Vanwege de emoties had hij er niet bij stilgestaan dat hij morgen naar zijn werk moest. Voor een oplossing hoefde hij zich niet al te druk te maken. Het was een geluk dat hij morgen de hele dag laboratoriumdienst had, hij hoefde dus geen afspraken van cliënten af te zeggen. De kunstgebitten die gemaakt of afgewerkt moesten worden, zouden heus wel een dag blijven liggen. Hij zou morgenochtend meteen bellen en tegen zijn collega's zeggen dat hij wegens familieomstandigheden een dag vrij moest nemen. Davina ging momenteel vóór alles en dat betekende dat hij Joosje moest bellen. Hoe kort is het nog maar geleden, bedacht Felix, dat ik voorspelde dat mijn zus vrijwilligerswerk zou gaan doen, dat ze zich op die manier nuttig zou gaan maken. En nu moest hijzelf een beroep op haar doen, hij had haar dringend nodig. Het was werkelijk niet te bevatten hoe wonderlijk de dingen soms opeens konden lopen.

Ondertussen had hij het nummer van Joosje ingetoetst en toen hij haar zelf aan de lijn kreeg, vertelde hij wat er allemaal gaande was. Hij besloot het relaas met: 'Ik neem morgen een dag vrij om spullen voor Davina op te halen en ik moet onder vier ogen met Suze spreken. Dat is het belangrijkste van alles. Ik weet niet wat ik ermee zal bereiken, maar neem van me aan dat ik voor mijn kleine meid zal vechten! Moet ik nog vragen of ik morgen op je kan rekenen omdat ik een lieve oppas voor Davina nodig heb?'

'Dat zou wat moois zijn, natuurlijk niet! Ik rijd met Giel mee, voordat hij naar kantoor gaat, kan hij mij mooi even bij jou afzetten. Dat betekent dus wel dat ik er in alle vroegte zal zijn. Ik kijk er nu al naar uit, want ik wil niets liever dan zorgen voor haar, die voor mijn gevoel nu een beetje op een verschoppelingetje lijkt. Ik vind het verschrikkelijk wat je me in de gauwigheid allemaal hebt verteld. In mijn verbeelding zie ik het lieve kind in de stromende regen bij een bushalte staan, op een voor haar onmogelijk uur van de dag en moederziel alleen. Hoe moeilijk moet ze het hebben gehad. En wij kunnen alleen maar bidden en hopen dat ze er geen psychische beschadigingen aan over zal houden. Was ze erg overstuur...?'

'Dat viel wonderlijk genoeg wel mee,' zei Felix. 'Ik heb haar nog niet zien huilen, maar vermoedelijk was ze zelfs daar te moe voor. Ik heb ontzettend met haar te doen, ze is erg onzeker, erg bang vooral. Ze durfde bijvoorbeeld niet in haar eigen bed te gaan slapen, bang als ze was dat Sjef de Noord haar zou komen halen. Ze ligt in mijn bed en ik kruip zo dadelijk naast haar om haar voor wat of wie dan ook in bescherming te nemen.'

'Ik ben onzegbaar blij dat ze veilig bij jou is. Ga maar gauw naar haar toe. Ik hoop, Felix, dat jij, ondanks alles, toch een beetje zult slapen.'

'Dat is voor mij minder belangrijk, ik vind het geweldig dat ik morgen op je kan rekenen. Bedankt alvast en tot dan!'

Kort hierna zocht Felix zijn slaapkamer op en zag hij dat Davina niet op hem was blijven wachten, maar in slaap was gevallen. Woordeloos prees hij haar: Goed zo, kleintje, slaap is voor jou het allerbeste, je bange hartje zal ervan tot rust komen. Hij wist dat hijzelf, vanwege de vele gedachten die als stormen door zijn hoofd joegen, geen oog dicht zou kunnen doen.

5

HET WAS NOG GEEN ACHT UUR DE VOLGENDE OCHTEND TOEN GIEL Boelens zijn vrouw tot voor de deur van Felix' huis bracht.

'Ga je nog even mee naar binnen?' vroeg Joosje, waarop Giel zijn hoofd schudde.

'Dan zou ik te laat op kantoor komen, ik heb geen vrije dag zoals Felix. Vanavond, als ik je weer kom ophalen, hoor ik wel hoe de dag voor jullie is verlopen.' Hij boog zich achter het stuur naar Joosje toe en nadat ze elkaar een kus hadden gegeven, stapte zij uit.

Voordat ze op de bel kon drukken, zwaaide de voordeur al open en legde Felix veelzeggend een vinger tegen zijn lippen. Daarna fluisterde hij: 'Kom binnen, maar wees stil, want Davina slaapt nog!'

Joosje knikte begrijpend en in de huiskamer volgde zij het voorbeeld van Felix en praatte ze net als hij met gedempte stem.

'Volgens mij is ze zowel geestelijk als lichamelijk uitgeput, anders zou ze toch al wakker moeten zijn?'

'Ze heeft een erg onrustige nacht gehad, ze schrok steeds wakker en ze kreeg herhaaldelijk een huilbui. Dan kroop ze als een bang vogeltje dicht tegen me aan en in mijn armen klaagde ze haar kindernood. Ik heb er vaak over gehoord en gelezen, maar door de verhalen die Davina mij vannacht vertelde, besef ik nu pas hoe onmenselijk moeilijk kinderen het hebben die gepest worden. Ze gaan als het ware door een hel, dat mijn kleine meid dat wreed moest ondervinden, zit mij vreselijk dwars. Ze heeft het daarginds moeilijker gehad dan wij konden bevroeden. Niet alleen door de schuld van die pestkoppen, er is veel en veel meer gebeurd. Want een kind vlucht niet zomaar bij haar moeder weg! Suze heeft haar laten aanmodderen, ze wist niet eens dat Davina niet in haar bed lag en wat ik van Sjef de Noord moet denken, weet ik al helemaal niet. Davina noemt hem herhaaldelijk een nare man voor wie zij bang is en die almaar boos op haar is. Het lukte mij telkens haar te troosten, waarna ze dan toch weer in slaap sukkelde. Vanochtend tegen half zeven schrok ze voor de zoveelste keer wakker en begon alles weer van voren af aan. Toen huilde ze inverdrietig en snikte ze dat ze heel eng gedroomd had over een boze man die achter haar aan zat. Wij hoeven het ons al niet meer af te vragen, wij kunnen "de boze man" uit haar angstdroom een naam geven. Ik was echt ten einde raad toen ik haar beloofde dat ze bij mij mocht blijven. Dat ik op haar zou passen en dat ze maandag gewoon weer bij juf Tica naar school zou gaan. Ik kan me nu wel voor mijn kop slaan dat ik haar een belofte heb gegeven die ik zal moeten verbreken. Op dat moment kon ik echter niet anders, het was het enige waarmee ik haar gerust kon stellen. Vlak voordat ik moest opstaan, viel zij eindelijk gerustgesteld weer in slaap. En dat die diep en zonder bange dromen is, blijkt wel, want ze slaapt nu door alles heen.'

'Het arme kind,' zei Joosje meewarig, 'wie weet hoeveel slaap ze moet inhalen. Het zou mij tenminste niet meer verbazen als ik te horen kreeg dat ze in dat voor haar onveilige oord halve nachten wakker heeft gelegen. We moeten er dan ook alles aan doen om haar hier te houden, ze mág niet terug!'

Felix slaakte een moedeloze zucht. 'Jij ziet nu een factor over het hoofd die doorslaggevend zal zijn. Als haar biologische vader heeft Sjef de Noord alle troeven in handen, die van mij zijn beangstigend leeg. Ik weet niet hoe lang ik vannacht naar het slapende meisje naast me heb liggen kijken. Ik heb zelfs haar duimnagels bestudeerd. Op die van mij zit een overdwarse ribbel, ik hoopte een dergelijke oneffenheid ook op die van haar te zullen ontdekken. Het was opnieuw een desillusie, ze heeft uiterlijk niets, helemaal niets van mij. Het is om wanhopig van te worden en zo zal ik straks voor Suze staan. Wat moet ik dan doen of zeggen, mijn stem telt immers niet meer. Ik ben niet haar vader... het is een feit dat ik echter niet kan, noch wil accepteren...'

Joosje wist niet hoe ze er opkwam, het was louter een ingeving die haar deed zeggen: 'Als ik in jouw schoenen stond, zou ik het wel weten. Dan liet ik een DNA-onderzoek doen. Het is voor jou de enige manier om zekerheid te krijgen. Je gelooft nog steeds niet voor de volle honderd procent dat jij niet haar vader bent, maar na de uitslag van het onderzoek zul jij je er dan bij neer moeten leggen. Hoe moeilijk dat ook voor je zal zijn.'

Dat laatste ging aan Felix voorbij. Hij staarde haar een moment perplex aan, vervolgens klaarde zijn sombere gezicht op. Toen Joosje in zijn stem teveel hoop bespeurde, voelde zij zich schuldig dat ze hem die gegeven had. 'Je hebt gelijk, Joosje, volkomen gelijk! Hoe is het mogelijk dat ik daar zelf geen moment aan gedacht heb!' Gejaagd opeens ging hij verder: 'We mogen er geen gras over laten groeien, het moet snel gebeuren. Ik heb haar nu bij me, maar geen mens weet voor hoe lang nog!'

Ongewild liet Joosje zich meeslepen in zijn enthousiasme. 'Als jij open kaart speelt, eerlijk zegt hoe beroerd je ervoor staat, zul je volgens mij niet onnodig lang op de uitslag ervan hoeven wachten, maar zal men er vaart achter zetten. Het is het proberen zeker waard, hoor Felix!'

Hij lachte breed. 'Als ik jou niet had! Er is opeens weer hoop in mijn hart en daardoor voel ik me een stuk zelfverzekerder. Dat zal me van pas komen als ik tegenover Suze sta. Ik denk dat ik de reis naar dat dorp maar ga ondernemen, des te eerder is de klus geklaard.'

Joosje gaf hem groot gelijk. 'Des te eerder ben je dan ook weer thuis, want geloof maar dat ik nieuwsgierig ben naar het verloop van jouw gesprek met haar!'

Nadat hij nog snel een kop koffie had gedronken, verliet Felix het huis en zette Joosje zich aan het op ruimen. Dankzij zijn trouwe hulp was het nergens vuil. Het is vast en zeker een mannengewoonte, bedacht Joosje, om de boel langs zich neer te laten glijden. Giel liet ook altijd alles slingeren, haar broer was al net zo. Ze was drukdoende, maar onderwijl gaf ze haar oren goed de kost. Als ze

Davina hoorde, zou ze zich onmiddellijk naar boven haasten, het kind moest nu zo weinig mogelijk alleen zijn. Ze moest zich veilig en beschermd voelen.

Terwijl ze kranten en tijdschriften van de grond opraapte en netjes opstapelde, bedacht ze dat het, achteraf bezien, een zegen was dat zij momenteel zonder werk zat. Felix had het alleen gehad over vandaag, maar wat zou hij zonder haar hulp moeten beginnen als Suze erin toestemde dat Davina een paar dagen mocht blijven om weer wat op verhaal te komen? Ze hoopte vurig dat Suze het belang van het kind niet uit het oog verloor, maar het voorop zou laten gaan. Enige hoop op een voor Felix gunstige uitslag van een DNA-onderzoek had zij bepaald niet. Met haar voorstel had ze hem zeker geen valse hoop willen geven, ze had enkel willen bewerkstelligen dat Felix ertoe gedwongen werd te accepteren dat niet hij, maar Sjef de Noord de vader van Davina was. Je zult het toch een keer moeten aanvaarden, er zit niets anders voor je op, Felix, dacht ze. Op dat moment ging de deur van de huiskamer open en stond Davina in haar pyjama in de deuropening. Joosje snelde op haar toe, omhelsde en kuste haar bijna onstuimig. 'Daar ben je dan eindelijk, ik dacht dat je de hele dag zou blijven doorslapen!'

'Waar is pappa..?' Haar gezichtje betrok verdacht, zag Joosje. Ze haastte zich te zeggen: 'Pappa is naar mamma om te zeggen dat jij hier bent en dat het goed met je gaat. Anders maakt mamma zich zorgen om jou, dat begrijp je wel! Wat wil je liever, eerst ontbijten of meteen douchen en aankleden?'

'Liever eerst eten. Twee beschuitjes met jam, mag dat?' Ze wachtte het antwoord van Joosje niet af, maar ging verder: 'Jij zei het niet goed, tante Joosje! Pappa is naar mamma om tegen haar te zeggen dat ik voor altijd hier blijf. Dat heeft pappa mij beloofd en wat hij belooft dat doet hij ook! Ik ben blij dat jij hier bent, blijf je tot pappa terugkomt, ga je niet weg?'

Het speet Joosje bepaald niet dat ze door die tweede vraag van

Davina niet op de eerste hoefde in te gaan. 'Maar lieve schat, natuurlijk niet! En je hoeft niet zo bedrukt te kijken, want je hoeft echt niet ook nog weer aan mij te vertellen wat er allemaal met jou is gebeurd. Pappa heeft alles aan mij verteld, het is voor jou gemakkelijker dat je er niet meer over hoeft te praten. We gaan er samen een gezellige dag van maken, bedenk maar alvast wat we voor leuks kunnen gaan doen.'

'Ik wil vandaag binnen blijven en alleen zijn met jou. Want jij denkt dat je alles weet, maar dat is niet zo. Er is nog iets, maar dat durf ik niet tegen pappa te zeggen. Ik vind het moeilijk erover te praten, toch moet ik het tegen iemand zeggen. Het liefst tegen jou... Ik vertel het je als ik ben aangekleed. Goed?'

'Je vertrouwen in mij doet me goed, ik zal geduldig wachten totdat jij klaar bent. Kijk, hier zijn je beschuitjes, knabbel ze maar lekker op.'

Joosje keek vertederd toe hoe Davina zat te smullen, onderwijl vroeg ze zich bezorgd af wat het kind dwars kon zitten. Ze had het niet tegen Felix durven te vertellen, vreemd vond ze dat. Het was vanzelfsprekend uitgesloten, Davina was er nog te jong voor, maar anders zou ze haast denken dat ze voor de eerste keer ongesteld was geworden. Meisjes gingen daar liever niet mee naar hun vader en haar moeder was er niet. Lief kind, wat het ook mag zijn, kom er maar mee bij mij. Ik zal je helpen waar ik kan.

Onderweg naar het dorp vroeg Felix zich af wat hem zo dadelijk te wachten stond. Zou Suze voor rede vatbaar zijn? Maar ze was moeder en alleen al vanwege dat feit móést ze inzien dat Davina's geluk op het spel stond. Hij en zij, ze moesten er samen alles aan doen om het kind veilig en beschermd te laten opgroeien. Dat zou Suze hopelijk inzien, want zo moeilijk te begrijpen was dat toch warempel niet. Nee, maar bij Suze lagen bepaalde kwesties soms een tikkeltje ingewikkelder dan bij anderen. Arme Suze? Felix trok in een moedeloos gebaar met zijn schouders. Ik weet niet meer wat ik van haar en van de puinhoop die er plots is ontstaan, moet denken.

Hij haalde een paar keer diep adem voordat hij voor het huis van Sjef de Noord uit de auto stapte. Suze deed open, een diepe blos bedekte haar wangen toen ze zei: 'Ik had je zo vroeg nog niet verwacht, maar kom binnen.'

Felix volgde haar naar de huiskamer en vanuit zijn ooghoeken zag hij dat het daar één grote bende was. Overal lag rotzooi die er niet hoorde, op de meubels lag een laag stof, op het aanrecht van de open keuken stonden vuile borden, potten en pannen hoog opgestapeld. Zo zou het er bij hem ook hebben uitgezien als hij er destijds niet voor had gezorgd dat er een goede hulp kwam om zijn boeltje te onderhouden. Dankzij haar was zijn huis schoon en fris en hoefde hij zich daar geen zorgen over te maken. Maar jij zult je handen moeten laten wapperen als je vanavond van je werk thuiskomt, Sjef de Noord, flitste het door hem heen, Suze is er te beroerd voor.

Een tijdje zaten ze allebei met de mond vol tanden en hopeloos onwennig tegenover elkaar, totdat Suze informeerde of hij soms trek in koffie had. Felix sloeg haar aanbod niet af, waarop Suze zei: 'Je krijgt het in een theeglas, als je het niet erg vindt, want alle mokken en kopjes zijn vuil. Ik heb hier namelijk geen vaatwasser zoals bij jou.'

Is me dát even een geldig excuus, dacht Felix cynisch. Hij verborg zijn gedachten en keek haar indringend aan. 'Ik neem aan dat jij hier verder wel alles vindt wat je bij mij blijkbaar miste?'

Suze bloosde opnieuw en zacht zei ze: 'Ik heb het altijd best wel goed bij jou gehad. Maar het is wel zo dat ik tijdens al die jaren die ik doorbracht met jou, steeds aan Sjef moest denken. Ik miste hem en toen hij weer contact met mij zocht, wist ik onmiddellijk dat ik nog van hem hield. Anders en meer dan van jou. Zo is het gekomen, de rest weet je...'

Felix bleef haar recht aanzien. 'Ik vraag me af, Suze, of jij wel weet hoe verschrikkelijk moeilijk Davina het hier bij jullie had? Davina heeft tegen mij verteld dat jij ervan op de hoogte was dat zij in het dorp gepest werd. Maar je greep niet in, je kwam niet voor haar op. Dat neem ik je erg kwalijk!'

'Jij kent me en weet dus dat ik dergelijke moeilijkheden liever uit de weg ga dan dat ik ze aanpak.' Ze boog het hoofd, want hoewel ze het niet zou toegeven, schaamde ze zich wel degelijk.

'Dat zal dan ook wel de reden zijn dat jij niet tegen Sjef durft te zeggen dat hij wat liever, in ieder geval vriendelijker, voor Davina moet zijn. Het kan jou niet zijn ontgaan, Suze, dat Davina werkelijk doodsbang voor hem is!'

'Alsof ik dat kan helpen. Sjef is nu eenmaal anders dan jij. Hij is geen kinderen gewend, dat verklaart veel, zo niet alles.' Ze hief haar gezicht weer naar Felix op. 'Vertel me nu eerst eens hoe Davina bij jou is terechtgekomen, want dat snap ik nog steeds niet.'

Felix haalde de strippenkaart tevoorschijn en legde die voor haar op de salontafel. 'Voor ik het vergeet, moet ik je die eerst teruggeven! Davina heeft hem uit je portemonnee genomen, ze was vannacht niet rustig voordat ik haar beloofde hem aan jou terug te zullen geven.' Vervolgens vertelde hij over het wegvluchten van Davina en hoe haar juf haar bij de bushalte had zien staan en haar veilig bij hem thuis had gebracht.

Suze keek hem een moment stomverbaasd aan, daarna foeterde ze: 'Sjef heeft gelijk, Davina wordt steeds ondeugender. Welk normaal kind haalt het nou in zijn hoofd om er stiekem tussenuit te piepen, daar moet je dus Davina voor heten! Ik ben er blij om dat juf Tica haar vond, maar 'k vraag me af hoe het mogelijk is dat er zoveel stom toeval bestaat.'

Felix keek haar indringend aan. 'Ben je vergeten dat toeval niet bestaat omdat alles is voorbestemd?'

Suze trok een gezicht. 'Daar heb je hem weer met zijn kerks gedoe.

Ben ik even blij dat ik daar bij Sjef niets meer mee te maken heb!' Felix schudde vertwijfeld zijn hoofd. 'Laten we het dan over Davina hebben. Zij is niet meer het kind dat ik kende, en dat baart mij grote zorgen. Ze is bang, snel over haar toeren, ze wordt geplaagd door akelige dromen en zo kan ik nog wel even doorgaan. Ik ben naar je toe gekomen om persoonlijk tegen je te zeggen dat ze voorlopig bij mij blijft! Ze heeft rust nodig om weer tot zichzelf te komen en dat kan enkel in een voor haar vertrouwde en veilige omgeving. Vanwege de pestkoppen die er in dit dorp rondlopen, durft Davina hier maandag niet naar school en ze durft niet bij jou te blijven omdat ze bang is voor Sjef. Gezien zijn vaderschap dat hij opeist, is dat misschien nog wel het ergste van alles. Of denk jij daar anders over!?'

Daarop zei Suze schouderophalend: 'Sjef kan niet anders tegen Davina doen. Hij is nooit kinderen gewend geweest, het kost hem heel veel moeite om aan Davina te wennen. Jij zei daarnet dat Davina rust nodig heeft om op adem te komen, maar voor Sjef geldt hetzelfde. Daarom vind ik het goed dat Davina voorlopig bij jou blijft, want dan kan Sjef aan het idee wennen dat hij vader is. Begrijp je?'

'Nee, integendeel! Ik kan met de beste wil van de wereld niet bevatten hoe hij zo bot en boos tegen een onschuldig kind kan doen. En van jou begrijp ik al helemaal niets meer! Want nu ik hier zo tegenover je zit, krijg ik almaar sterker het gevoel dat jij het ook wel prettig vindt een poos van Davina verlost te zijn! Heb ik ongelijk..?'

'Om eerlijk te zijn niet helemaal.' Ze zweeg geruime tijd en toen ze de draad weer opnam, vermeed ze oogcontact. 'Het is hier in huis niet zoals ik het zou willen. Om de lieve vrede te bewaren loop ik constant op mijn tenen. Het is voor Sjef en mij gewoon beter dat Davina er even niet is. Sjef heeft beloofd dat hij de scheiding binnenkort op gang zal brengen, zullen we afspreken dat Davina bij jou blijft totdat dat allemaal in orde is?'

Door wat ze zei, door hoe ze keek, kreeg Felix medelijden met haar en dat gevoel deed hem vragen: 'Ben jij eigenlijk wel zeker van je zaak, Suze? Besef je wel waarmee je bezig bent, wat je kapotmaakt? Vraag jij je dan echt niet af of dit het is wat jij wilt?'

Ze bloosde, haar mondhoeken trilden verdacht, maar desondanks zei ze even beslist als overtuigend: 'Ik heb voor Sjef gekozen, ik moet en wil met hem verder. Het spijt me voor jou, maar ach, je bent best wel een leuke man om te zien dus wat dat betreft zul jij snel genoeg een ander liefje vinden. Maar achteraf had ik eigenlijk wat eerder tegen je moeten zeggen dat jij niet Davina's vader bent. Het is niet anders en je moet maar zo denken: beter laat dan nooit. Toch?'

Dom ding, schoot het door Felix heen en rancuneus en zonder medelijden sneerde hij nu: 'Nou, kijk eens aan, dáár heb ik wat aan! Ik stap weer op, wij hebben elkaar niets meer te zeggen. Ik ga akkoord met jouw voorstel: we wachten de scheiding af, tot zolang blijft Davina bij mij, daarna zien we wel verder. Heb je haar spullen klaarstaan?'

Suze knikte, ze wees op een paar volgepropte plastic tassen in een hoek van de kamer en terwijl ze Felix' voorbeeld volgde en ook opstond, zei ze: 'Ik had het ook liever anders gewild en om te laten zien dat ik je niet haat, zelfs geen hekel aan je heb, beloof ik je dat jij Davina zult mogen blijven zien. Na de scheiding bedoel ik! Dan mag ze van mij gerust eens een weekeinde naar je toe en in school-vakanties wel een week of langer. Wat kijk je me nou raar aan, ik dacht dat ik je hier blij mee zou maken?'

Felix slaakte de zoveelste moedeloze zucht, hij voelde zijn bezorgd-heid om Davina in zich groeien. Die deed hem zeggen: 'Nee, ik kan niet gelukkig zijn met jouw tegemoetkoming. Denk jij dan heus alleen maar aan die fraaie vriend van je, en niet aan een klein meisje in nood dat jouw moederliefde nodig heeft? Davina heeft jou nódig, Suze, ik eis van je dat je daar diep over zult nadenken!'

'Sjef gaat bij mij voor alles. Dat heb ik hem beloofd en daar hou ik me aan.'

'Je gedraagt je onmogelijk, er valt met jou niet te praten.' Hierna nam hij resoluut de tassen op en liep ermee op de deur toe. Toen hij merkte dat Suze hem volgde, keerde hij zich naar haar toe. En met een stem die niet bij hem paste, zei hij: 'Doe vooral geen moeite, ik kom er wel uit. Ik hoop dat het je goed mag gaan, dat je vindt wat ik je blijkbaar niet geven kon.'

'Ik heb al bij Sjef gevonden wat ik nodig heb. Waarom geloof je dat niet?'

Felix gaf er geen antwoord op, maar maakte zich uit de voeten.

Tijdens zijn onderhoud met Suze had Davina Joosje verteld wat haar nog meer overkomen was en bang maakte. Ze keek sip toen ze het weerzinwekkende verhaal met een vraag besloot: 'Ik durf het niet zo goed, wil jij het tegen pappa zeggen, tante Joosje?'

Deze moest veel wegslikken voordat ze haar stem onder controle had. 'Ja, mijn schat, dat zal ik zeker doen.' Stil dacht ze erachteraan: Mijn broer krijgt er bij zijn thuiskomst nog een zorg bij, maar momenteel moet ik iets verzinnen waarmee ik Davina en mezelf afleiding kan bezorgen. Joosje peinsde lang voor ze wist wat ze moest doen. 'Wat denk je ervan, lieverd, als wij de deur eens achter ons dicht trekken en lekker naar buiten zouden gaan om al die nare hersenspinsels uit ons hoofd te verjagen? Ik heb al gemerkt dat het inmiddels weer droog is geworden.' Ze keek Davina vragend aan en deze knikte.

'Ja, dat is goed. Ik ben blij dat ik het je heb verteld en nu wil ik er liever niet meer over praten. Gaan we in de tuin zitten, bedoel je dat?'

'Nee, we gaan boodschappen doen. We zullen vanavond warm moeten eten, maar de koelkast is zo goed als leeg. Je vader heeft niets in huis waarmee ik een maaltijd op tafel zou kunnen toveren. Zullen we dan maar meteen gaan?'

Davina knikte opnieuw. 'Samen met jou boodschappen doen vind ik wel leuk.'

Kort hierna liepen ze door het dorp op weg naar de supermarkt en tot Joosjes verwondering kwebbelde Davina er als vanouds lustig op los. Enerzijds verbaasde ze zich erover, anderzijds beschouwde ze het als zeer welkom. Ze vreesde echter dat het beduidend moeilijker was dan het leek, want als ze bedacht dat het kind hoe dan ook terug moest naar de moeder, kneep haar hart pijnlijk samen. Hoe moet dit in vredesnaam aflopen, vroeg Joosje zich af.

Haar bange gedachten werden een halt toe geroepen toen Davina voor de ingang van de supermarkt aangesproken werd door haar hartsvriendinnetje. Lieke en haar moeder kwamen de winkel uitlopen, het meisje straalde toen ze Davina zag. 'Ik wist niet dat je weer thuis was, maar het spijt me niks! Ik verveel me namelijk dood zonder jou! Kom je nadat je boodschappen hebt gedaan bij mij spelen?' Toen Davina aarzelde, wees Lieke op de boodschappentas aan de arm van haar moeder. 'Omdat ik me zo verveel, mag ik tussen de middag van mam poffertjes gaan bakken. We hebben alles gekocht wat we ervoor nodig hebben, ook poedersuiker! Jij vindt poffertjes bakken ook leuk en ze naderhand opeten is het mooiste van alles. Toe nou, zeg dat je meteen met me meegaat!'

Davina sloeg een ietwat verlegen blik op naar Joosje, deze had ondertussen kennisgemaakt met Liekes moeder, maar voordat Joosje de beide meisjes te hulp kon schieten, deed mevrouw Boskoop het. 'Treuzel maar niet langer, ik zie aan je oogjes dat je maar wat graag met ons mee wilt. En je tante ziet het ook, kijk maar, ze knikt!'

Davina was nog niet helemaal gerustgesteld. Ze keek Joosje peilend aan. 'Vind je het echt niet erg dat ik niet met jou mee ga boodschappen doen?'

'Nee, natuurlijk niet, malle meid! Ik moet zo dadelijk voor het avondeten gaan zorgen, ik verveel me dus niet. We praten er niet

langer over, jij gaat gewoon met Lieke mee!'
Davina gaf zich gewonnen, de beide vrouwen wisselden lachend een snelle blik van verstandhouding. Nadat Joosje de meisjes veel plezier had gewenst en ze mevrouw Boskoop had gegroet, verdween zij in de supermarkt en huppelden Davina en Lieke vrolijk naast elkaar richting de poffertjespan.

Toen Joosje enige tijd later in de keuken druk doende was met de voorbereidingen van het avondeten, bedacht zij dat ze Felix straks niet meteen moest overvallen met hetgeen Davina haar had verteld. Ze kon wel nagaan dat Felix na zijn bezoek aan Suze even genoeg aan zijn hoofd zou hebben. Voor hem was het beter dat zij haar tijd rustig afwachtte.
Eerder dan zij had verwacht, het was nog geen twaalf uur, stuurde Felix zijn auto de oprit op. Toen hij de keuken binnenstapte, zei Joosje wat ze dacht: 'Je bent vroeg, ik had je eerlijk gezegd nog niet verwacht.'
Felix haalde zijn schouders op. 'Ach ja, als je vroeg vertrekt, ben je vroeg weer thuis. Het is maar goed en wel drie kwartier rijden van het dorp naar hier en het gesprek tussen Suze en mij vergde niet veel tijd. Ik mis Davina,' liet hij er in één adem op volgen, 'ik mag toch aannemen dat ze niet nog steeds in bed ligt?'
Joosje stelde hem gerust. 'Ik denk dat wij ons even geen zorgen om haar hoeven te maken, want ze is bij Lieke. We kwamen haar en haar moeder bij de supermarkt tegen en gelukkig voor Davina, wist Liekes moeder haar over te halen met haar en Lieke mee te gaan. Kinderen zijn flexibel, als er iets leuks voor in de plaats komt kunnen ze het nare opzijschuiven. Voor tijdelijk, maar toch. Ga er bij zitten, dan schenk ik je een kop koffie in!'
'Als je wilt, mag je me wel een cognacje inschenken, ik voel dat ik een hartversterkertje nodig heb,' bekende Felix terwijl hij zich op een keukenstoel liet neerzakken.

Joosje zond hem een blik vol begrip. Ze zette het gevraagde drankje voor hem neer, ging tegenover hem zitten, en begaan met hem vroeg ze zacht: 'Was het moeilijk?'

Felix trok een gezicht. 'Gemakkelijk was het in ieder geval niet. Ik zat tegenover de vrouw met wie ik acht jaar getrouwd ben geweest, te bekvechten om het kind van wie ik me even zolang vader mocht voelen. Voorlopig heb ik ermee bereikt dat Davina bij mij mag blijven totdat de scheiding is uitgesproken. Daarna moeten we verder zien. Aan die tijd wil ik nog maar liever niet denken. Al dit gedoe,' liet hij er kregelig op volgen, 'had voorkomen kunnen worden als Suze gewoon bij mij was gebleven.'

Joosje keek hem verbaasd aan. 'Wat wil je daarmee zeggen? Toch niet dat jij, na alles wat ze jou heeft geflikt, nog van haar houdt?'

'Als Suze er niet tussenuit was geknepen, zou er niet zoveel op Davina zijn afgekomen. Dát bedoelde ik te zeggen. Jij vroeg of ik nog van Suze hou en op die vraag kan ik volmondig nee zeggen! Toen ik bij haar was, kreeg ik op een gegeven moment echt medelijden met haar, meteen daarop schold ik haar in gedachten uit voor dom ding. Ik weet niet meer wat ik van haar en van mezelf moet denken. Ik vermoed echter dat ik er niet ver naast zit als ik veronderstel dat Suze impulsief, misschien zelfs wel in een vlaag van verstandsverbijstering heeft gehandeld. Ik kan het niet verklaren, noch hard maken, maar ik voel gewoon dat Sjef de Noord haar niet zal geven wat zij van hem verwacht. Dat idee riep medelijden met haar bij me op. En meer kan ik haar niet geven, want meer voel ik niet voor haar.'

'Sjef de Noord was niet thuis, begrijp ik?'

'Nee, en naar alle waarschijnlijkheid was dat zijn geluk. Ik denk dat ik die vent anders naar de keel was gevlogen. Hij heeft Davina kwaad gedaan en dat is voor mij reden genoeg om met hem op de vuist te gaan.'

'Het zou zijn verdiende loon zijn geweest, want...'

Als Felix had geweten wat Joosje nog meer over Sjef de Noord had willen zeggen, zou hij haar zeker niet hebben onderbroken. Met een hoofdknik wijzend op de pannen die op het fornuis stonden, deed hij dat nu in volle onschuld. 'Wat gebruik jij grote pannen, of denk je dat ik uitgehongerd ben?'

'Ik ga vanavond niet alleen voor jou en Davina koken, maar ook voor Giel en mezelf. Wij eten met jullie mee, want anders zou ik thuis nog eens in de keuken moeten gaan staan en daar heb ik geen zin in. En zo blijven we het de komende tijd doen, ik heb vanochtend een vracht boodschappen in huis gehaald zodat ik even vooruit kan.'

Daarop haastte Felix zich te zeggen: 'Hoeveel geld was je kwijt, dan betaal ik je meteen terug.'

'Ja hoor, daar zit ik om te springen! Je moet niet zo raar doen, man.'

'Ik bén een rare, wist je dat nog niet?' Hij keek zijn zus vragend aan toen hij verderging: 'Jij had het over de komende tijd, bedoelde je daarmee wat ik hoop, maar nog niet geloven durf?'

'Jij kunt er gewoon op vertrouwen dat Giel mij hier voortaan elke ochtend afzet en dat hij en ik na het avondeten ons eigen huis weer opzoeken. Ik voel me niet verplicht jou op deze manier te helpen, ik doe het uit liefde. Voor jou en de kleine meid. Vandaag heb ik míjn portemonnee gebruikt en dat laten we zo, het zou echter wel prettig zijn als jij vanaf nu een potje klaarzette met huishoudgeld!'

Felix lachte. 'Dat is nogal wiedes!' Hij was de ernst zelve toen hij bewogen zei: 'Dankjewel, zusje van me. Zonder jouw hulp zou ik Davina niet bij me kunnen hebben en zou ze terug moeten naar haar moeder. Jij beseft niet half wat je voor me doet!'

Nu vond Joosje dat haar tijd gekomen was. Ze sloeg haar ogen op naar Felix en aangeslagen zei ze: 'Jij beseft niet half hoe belangrijk het voor Davina is om niet terug te hoeven. En dat komt omdat jij nog niet precies weet welke kwalijke streken Sjef de Noord er nog meer op na houdt...'

Felix staarde haar vol afgrijzen aan. 'Je gaat me toch niet vertellen dat die schoft haar slaat!?'

'Misschien kun je het erger dan dat noemen.' Joosje moest een zekere weerzin overwinnen voordat ze verder kon gaan. 'Davina zei vanochtend dat ze mij iets moest vertellen dat ze niet tegen jou durfde te zeggen. Ze vroeg of ik dat voor haar wilde doen. De kerel over wie zij haar nood klaagde, heeft geen greintje gevoel in zijn lichaam. En het spijt me dat ik het zeggen moet, maar ten opzichte van Davina is Suze geen haar beter dan hij. Ik kan het niet eens navertellen zonder opstandig en kotsmisselijk te worden...'

Joosje zweeg, ze wierp Felix een verloren blik toe die hij opving, maar die hem niettemin deed zeggen: 'Probeer toch maar tot de kern te komen, je hebt me bang gemaakt. Ik zie in gedachten de vreselijkste dingen gebeuren. Laat het niet waar zijn wat ik vermoed...'

'Sorry, je hebt gelijk, ik mag je niet langer in het ongewisse laten.' Ze haalde diep adem en toen, rustiger dan daarvoor, stak ze opnieuw van wal. 'Davina vertelde dat oom Sjef niet alleen boos en streng, maar ook een enge man was. Op mijn vraag hoe ze dat precies bedoelde, vertelde ze dat hij een paar keer naar haar had staan kijken toen zij onder de douche stond. Volgens haar kan de badkamerdeur daar aan de binnenkant niet op slot en zo gebeurde het dat hij onverwacht binnenkwam. Davina zei dat hij toen niet boos, maar met een enge lach op zijn gezicht naar haar had staan gluren. Ze was banger dan ooit voor hem geweest en in die angst had ze heel hard om haar mamma geschreeuwd. Suze was op het tumult komen toelopen, maar in plaats dat ze Sjef de huid vol schold had ze tegen Davina gezegd dat zij zich niet zo moest aanstellen. Het kind zei letterlijk tegen me: "Daarna lachte mamma haast net zo raar als oom Sjef. Ze zei dat ik moest ophouden met dat gejammer, want dat oom Sjef niets deed wat niet mocht. Hij wilde alleen maar naar mij kijken omdat hij nog nooit een bloot meisje had gezien.

Maar ik huilde toch, want ik wilde het niet. Pappa mag mij wel bloot zien, maar een vreemde, enge man niet. Het hoort niet zo, het is heel raar wat hij deed. Daarom schaam ik me ervoor en durf ik het niet tegen pappa te zeggen. Dat moet jij voor mij doen, tante Joosje!" Dat zei ze en ik kan er met mijn verstand niet bij dat die kerel tot zoiets in staat blijkt te zijn.'

Felix zag lijkbleek en als in trance mompelde hij voor zich uit: 'De gluiperd, wie zegt me dat er niet meer is gebeurd wat Davina uit schaamte zelfs niet tegen jou durfde te zeggen?'

Het deed Joosje meer dan goed dat zij hem, wat dat betrof, kon geruststellen. 'Daar heb ik Davina over gepolst, maar wat jij suggereert, is niet gebeurt. Hij heeft haar met geen vinger aangeraakt en na die paar keer heeft hij haar ook niet meer staan te begluren. Ik neem aan dat Suze naderhand er onder vier ogen toch een hartig woordje met hem over heeft gesproken. Maar dat blijft gissen.'

Van woede en onmacht finaal over zijn toeren, stiet Felix uit: 'Wie garandeert mij dat het niet meer zal gebeuren en dat hij dan steeds een stapje verder zal gaan? Hij is een pedofiel, dat durf ik rustig te stellen. En dat soort kerels denkt enkel aan zichzelf, niet aan de gevoelens van een onschuldig kind. Er is maar één ding wat ik kan, wat ik móét doen! Ik ga naar de politie, ik geef hem aan, voordat hij zich aan een ander kind zal kunnen vergrijpen. Voordat de scheiding is uitgesproken en Suze zal eisen dat haar dochter bij haar terugkomt. Goeie genade, wie had kunnen denken dat mijn kleine meid daar dit gevaar zou tegenkomen. Wat staar je me nu twijfelachtig aan, je zult het toch met me eens zijn dat de politie hierover ingelicht moet worden?'

Joosje schudde haar hoofd. 'Ik heb daarstraks in mijn eentje tijd genoeg gehad om hier over na te denken. En nu kan ik niet anders dan zeggen dat ik het je ten stelligste moet afraden. Volgens mij zou jij je eigen glazen ermee ingooien. Je moet vooruit denken aan wat er zou kunnen gebeuren als jij zou doen wat er nu in je opkomt. Jij bent niet haar vader, Felix, jij zult geen recht van spreken krijgen en daar moet jij je in dit geval terdege van bewust zijn! Als zijnde haar biologische vader zal Sjef de Noord zich verweren door te verkondigen dat hij zijn dochter alleen maar hielp met het douchen. Daar zal men niets op tegen kunnen hebben, denk aan jezelf, hoe vaak jij Davina inmiddels in bad hebt gedaan! Geloof me als ik zeg dat jij hier machteloos tegenover staat. Je mag God op je blote knieën bedanken dát die smeerlap "alleen maar" naar haar heeft staan te gluren. Voor haar en jouw bestwil moet ik je smeken je kalmte te bewaren en je hoofd erbij te houden. In ieder geval totdat je de uitslag van het DNA-onderzoek hebt. Daar zou ik niet te lang meer mee wachten als ik jou was! Ik had me er al bij neergelegd dat jij geen schijn van kans maakt, nu hoop ik opeens vurig dat het tegendeel zal worden bewezen.'

Hierop zei Felix toonloos: 'Het is hopen tegen beter weten in, maar iets is beter dan niets. Ik zie nu echter wel in dat jij gelijk hebt met je pleidooi. Ik mag geen onbezonnen stappen ondernemen, ik moet mijn hoofd koel houden. Zou er één mens zijn, Joosje, die begrijpt hoe verschrikkelijk moeilijk dit voor mij is?'

Zij snelde op hem toe, legde een arm om zijn gebogen schouders en liet hem merken dat zij een dergelijk mens kende door te fluisteren: 'Ik hou ook ontzettend veel van Davina en daarom voel ik exact wat jij voelt. Jij bent mijn "kleine broertje" ik lijd en vecht met je mee voor jouw en haar welzijn.' Het is alleen zo verschrikkelijk, dacht ze erachteraan, dat wij bij voorbaat weten dat wij de verliezers zullen zijn. En zij die het niet waard zijn dat ze zo'n lief kind hebben, zullen zich de winnaars mogen noemen. Waarom is het leven soms zo wreed, zo gruwelijk oneerlijk?

6

ER WAS EEN AANTAL WEKEN VOORBIJGEGAAN. VOOR FELIX, JOOSJE EN Giel weken vol spanning. Suze had inmiddels gemeld dat Sjef de scheiding op gang had gebracht, maar het was niet dat nieuws dat hen continu bezighield. Ze zaten vol ongeduld te wachten op de uitslag van het DNA-onderzoek. Er hing zo ontzettend veel van af, vooral voor Davina. Zij had de draad van haar leventje weer opgepakt, ze was weer het vrolijke, levenslustige kind van weleer. Daar leek het tenminste op, maar als ze de naam uitsprak van de man die haar angst inboezemde, betrok haar zonnige gezichtje meteen weer. Op een avond had ze aan Felix bekend dat ze mamma miste. 'En toch wil ik niet naar haar toe, want ik wil oom Sjef niet zien. Nooit meer!'

Die gelegenheid had Felix niet onbenut voorbij laten gaan. Hij had het meisje uitgelegd dat er maar één manier was om er achter te komen of de man werkelijk haar biologische vader was. Zo voorzichtig en eenvoudig mogelijk had hij Davina uitgelegd welke stappen zij daarvoor zouden moeten ondernemen. Ze had met een ernstig snoetje naar hem zitten luisteren en toen Felix zweeg, had zij laconiek gezegd dat ze het goed vond. Dat ze de noodzaak er echter niet van inzag, had ze laten blijken door te zeggen: 'Maar ik vind het een beetje flauwekul, want ik wéét immers al dat jij mijn echte pappa bent!'

Er was geen wachtlijst en eerder dan Felix had durven hopen, werden ze in het laboratorium verwacht. Felix, Joosje en Giel voelden hun hart angstig kloppen als ze bedachten wat het kind te verwerken, en vooral te verduren kreeg, als ze terug moest naar Suze. Het was dan ook geen wonder dat de spanning op hun gezichten getekend stond.

Al bijna gewoontegetrouw reden Joosje en Giel ook deze avond terug naar hun dorp. Giel keek zijn vrouw van opzij aan en bezorgd constateerde hij: 'Je ziet er moe uit, neem je niet teveel hooi op de vork?'

'Nee hoor, niks aan de hand! Het is alleen zo dat ik thuis, zoals je weet, na het avondeten altijd even een kwartiertje op de bank ging liggen. Dat kleine tukje had ik nodig en dat mis ik tegenwoordig. We hebben een totaal ander leven gekregen en dat gaat ongewild toch gepaard met enige aanpassingsmoeilijkheden. Ik voel me ten opzichte van jou soms wat schuldig. Want het is wel zo dat jij niet meer rechtstreeks van je werk naar huis kunt gaan. Alleen in de weekeinden kunnen we als vanouds samen aan tafel eten. En op je vrije zaterdag heb jij ook al weinig aan me, want dan moet ik wassen, strijken en ervoor zorgen dat het in mijn eigen huis geen puinhoop wordt. Leuk voor jou is het niet, maar je beklaagt je er nooit over. Dat vind ik zo lief van je!'

'Felix moet geholpen worden en van de weeromstuit help ik jou de zaterdagen zoveel mogelijk. We moeten samen de schouders eronder zetten, het zou niet best zijn als ik hier anders over dacht dan jij. Ik mag mijn zwager graag en net als jij ben ik dol op de kleine meid.'

Er verscheen een warme gloed in Joosjes ogen. 'Ik hou hoe langer hoe meer van mijn kleine schat. Vandaag ontroerde ze me niet zuinig, ze bracht me zelfs een beetje in verlegenheid.' Op Giels vragende blik vertelde ze waarmee. 'Het lekkerste waar je Davina mee kunt verwennen, is een beschuitje met jam. Als ze uit school komt, staat dat dus voor haar klaar, samen met een glas uitgeperst sinaasappelsap. Heel gewoon, niets bijzonders, maar daar dacht Davina anders over. Zoals alleen zij dat kan, keek ze me met haar donkere oogjes trouwhartig aan en zei: "Weet je, tante Joosje, dat ik héél graag zou willen dat jij mijn moeder was?" Ontroerd als ze me ermee maakte, kon ik alleen maar stamelen: "Ach, kindje toch..." Meer hoefde ik niet te zeggen, want Davina praatte in al haar onschuld verder: Toen mamma nog gewoon bij ons thuis was, moest ik na schooltijd altijd zelf mijn beschuitje smeren en twee sinaasappels uitpersen. Dat vond ik vervelend en daarom deed ik het maar niet. Mamma had er geen zin in, zei ze, om meteen aan de slag te moeten als ik uit school kwam, ze wilde liever op de bank blijven liggen om televisie te kijken. Dat doe jij overdag nooit en je snauwt ook niet tegen me. Je bent altijd lief en daarom zou het leuk zijn als jij mijn moeder was." Is het een wonder, Giel, dat ik er een brok van in mijn keel kreeg?'

Hij kende het sluimerende verlangen in Joosje en waarschuwde: 'Denk erom, meisje van me, dat je je niet al te sterk aan het kind gaat hechten. Je mag momenteel voor haar zorgen, maar daar mag jij je niet meer bij voorstellen dan wenselijk voor je is!'

Joosje haastte zich hem gerust te stellen. 'Je hoeft niet bang te zijn dat ik mijn verstand verlies, ik blijf heus wel stevig met beide benen op de grond staan, hoor! Het kan misschien nog jaren duren, maar eens – dat hoop ik vurig – zal mijn broer een vrouw ontmoeten die in alle opzichten bij hem past. Dat geluk gun ik hem en als het zover is, zal het mij geen moeite kosten om Davina over te geven aan haar hopelijk goede en lieve zorgen. Maar zover is het nog niet, vanavond krijgt Felix wel bezoek van een vrouw!'

Giel lachte. 'Ja, dat ving ik op toen we aan tafel zaten! Tica Westerhout, de juf van Davina. Nou, wie weet wat voor goeds daar uit voortkomt. Of bedoelde je dat niet?'

'Nee, gekkie, natuurlijk niet! Felix heeft haar uitgenodigd omdat hij haar dat beloofd had. Maar nu jij iets suggereert waar ik nog geen moment bij stil heb gestaan, moet ik bekennen dat het idee mij niet tegenstaat. Naar mijn smaak ziet ze er goed uit. Ze heeft een mooi, slank figuurtje, prachtige groene ogen en donkerblond, lang haar. Ze is pienter én ze kan bijzonder goed met kinderen omgaan. Dat zijn pluspunten voor juf Tica.'

Daar was Giel het helemaal mee eens.

Giel en Joosje bleven nog een tijdje bezig met het wel en wee van Felix en ondertussen keek deze herhaaldelijk op de klok. Het was inmiddels kwart voor negen, zijn bezoek liet op zich wachten, oordeelde hij. Vermoedelijk had hij te vroeg koffiegezet, maar dat was niet anders. Joosje had vanmiddag een boterkoek gebakken en in punten gesneden. Die zagen er verrukkelijk uit, evenals de hapjes die zij had gemaakt en in de koelkast had gezet. 'Die zijn bedoeld voor als jullie samen gezellig een glas wijn gaan drinken,' had Joosje gezegd. Hij had werkelijk een zus uit duizend, zij verzorgde hem en Davina op een manier die zij allebei niet gewend waren. Dankjewel, lieve Joosje!

Op dat moment ging de bel en veerde Felix op uit zijn stoel. Nadat hij en Tica elkaar hadden begroet, verontschuldigde zij zich. 'Sorry dat ik later ben dan was afgesproken. Ik stond klaar om weg te gaan toen ik een paar telefoontjes achter elkaar kreeg waar ik de nodige tijd aan moest besteden.'

Felix toonde alle begrip, in de huiskamer wees hij op de bank. 'Ga zitten, maak het je gemakkelijk! Hoe gebruik jij je koffie? dan schenk ik gelijk in.' Lachend liet hij erop volgen: 'Ik betrap me erop dat ik je ongevraagd tutoyeer! Ik denk dat het komt vanwege onze leeftijden. Ik ben vierendertig en ik vermoed dat jij maar een paar jaar jonger bent. Ik hoop dat ik nu geen flater sla en me niet hoef te schamen!' Felix zond haar een open lach.

Tica zei: 'Je kunt aardig goed schatten, ik ben maar vier jaar jonger, ik ben dertig. En ik ben het helemaal met je eens, als het niet strikt noodzakelijk is, laat ik dat formele gedoe ook liever achterwege. Ik weet dat jij Felix heet en het zal me geen moeite kosten je zo te noemen. Ik neem aan dat Davina al in bed ligt?'

'Ja. Klokslag acht uur, dan is het haar tijd en dat weet ze. Vanavond sputterde ze echter tegen, ze wilde opblijven totdat juf Tica er was, maar dat ging dus niet door! Vlak voordat jij arriveerde, ben ik bij haar wezen kijken, en ze slaapt als een marmotje. Ik moet je even

alleen laten om wat lekkers bij de koffie uit de keuken te halen!'
Felix voegde de daad bij het woord en Tica bedacht dat zij Davina's
vader altijd al een aardige man had gevonden. Hij was zonder meer
een gentleman, vond ze. Een lange, slanke man met blond haar en
blauwe ogen was anders niet het type dat vroeger haar voorkeur
genoot. Erik had zwart haar en lichte, grijze ogen. Daar was ze
toentertijd helemaal weg van geweest. Vreemd evengoed dat ze, nu
ze niets meer om hem gaf, blijkbaar ook van smaak was veranderd.
Op dat moment kwam Felix weer binnen. Hij zette de schaal met
boterpunten op de salontafel en toen Tica daarop reageerde met
'Hm, lekker!' zei hij: 'Ik heb nog iets voor je, ga er maar even bij
staan.' Hij haalde een bos sneeuwwitte rozen van achter zijn rug
tevoorschijn en overhandigde haar die. 'Nogmaals ontzettend
bedankt voor wat je destijds voor me hebt gedaan. Je bracht Davina
veilig bij me thuis en geloof maar van me dat ik dat niet zal vergeten!'
Tica bloosde licht. 'Nu kan ik wel zeggen dat ik daar niets voor hoef
te hebben, maar ik hou van bloemen. En als je ze cadeau krijgt, zijn
ze voor mijn gevoel extra mooi. Dankjewel, ik ben er blij mee!'
Tica ging er weer bij zitten, Felix verdween wederom naar de keuken om de rozen nog even in het water te zetten. Hij was in een
ommezien terug en terwijl hij net als Tica een boterpunt van de
schaal nam, prees zij hem: 'Je woont hier werkelijk schitterend!
Door de openstaande schuifpui zie ik je tuin en daar ben ik jaloers
op. Ik heb enkel een smal balkon waarop ik mijn benen nauwelijks
kan strekken, ik zou er veel voor overhebben om zo'n mooie, piek-
fijn onderhouden tuin te bezitten!'
'O, maar dat is niet míjn verdienste, maar die van mijn tuinman! Ik
heb er door de week geen tijd voor en op mijn vrije zaterdag kom
ik er niet aan toe. Maar wellicht is dat een uitvlucht en kan ik beter
eerlijk bekennen dat ik geen groene vingers heb. Ik geniet op mijn
manier van mijn tuin. Een balkon lijkt mij ook niet je-van-het, het

blijft volgens mij behelpen.' Hierna voerden ze een tijdlang afwisselend luchtige en diepgaande gesprekken. Op een gegeven moment ruimde Felix de koffieboel op, schonk een wijntje in en zette de hapjes op tafel.

Nadat ze het glas naar elkaar hadden geheven, bedacht hij dat het tijd werd om tot het doel te komen waarvoor hij haar had uitgenodigd. 'Ik heb een nogal hectische tijd achter de rug, daardoor duurde het even voordat ik je kon uitnodigen om je, zoals beloofd, een duidelijker inzicht in de zaak te geven dan Davina heeft gedaan. Ik sta er nog vaak verwonderd bij stil dat juist jij haar bij die bushalte vond en haar onder je hoede nam. Was je een beetje aan het toeren of had je bij iemand een bezoek afgelegd?'

Tica lachte. 'Met dat laatste schiet je midden in de roos! Ik was die dag bij mijn ex-schoonzusje op bezoek geweest. Manon de Jong, ze woont in hetzelfde dorp als Sjef de Noord. We kunnen goed met elkaar opschieten, Manon en ik. Toch zien we elkaar maar eens per jaar, wonderlijk genoeg.'

Daarop bedacht Felix hardop: 'Die vrouw, Manon, zal man en kinderen hebben die haar tijd in beslag nemen.'

Tica schudde haar hoofd. 'Manon woont en leeft alleen. Vroeger heeft ze één keer een kortstondige relatie gehad en toen die stuk liep, hield zij het blijkbaar voor gezien, want ze kijkt niet meer naar de mannen om. Manon en ik hebben veel met elkaar gemeen, dat dus ook,' besloot ze lachend.

'Ik wist dat jij alleen woonde in je flat, echter niet dat je een verbroken relatie achter de rug had. Dat dringt nu pas tot me door nu jij het had over je ex-schoonzusje. Daaruit begrijp ik dat je getrouwd bent geweest.'

'Nu jij dit zegt, besef ik dat ik die indruk wekte! Ik zal dan ook snel vertellen dat Manon nooit een echt schoonzusje van me is geweest. Ik noem haar altijd zo, vraag me niet waarom, want ik ben niet met Erik, haar broer, getrouwd geweest. We hebben niet eens samengewoond, want dat druist tegen mijn principes in. Op een gegeven moment raakte hij op mij uitgekeken en wierp zich in de armen van een ander. Nu moet je me niet zo meewarig aankijken, ik ben niet de eerste en ook vast niet de laatste die dit overkomt. Zielig ben ik zeker niet, want ik heb niets meer met hem te maken. Het is over en uit en dat spijt me achteraf niet.'

Felix knikte alsof hij er alles van begreep, hij liet er echter bedachtzaam op volgen: 'Verbroken relaties, het lijkt wel schering en inslag. Tot voor kort heb ik er nooit bij stilgestaan dat het mij ook zou kunnen overkomen, maar helaas...' Hij nam een adempauze en daarna vertelde hij Tica gedetailleerd wat er zich allemaal tussen Suze en hem had afgespeeld. Hij verzweeg niet hoeveel pijn het hem deed dat Davina het kind van de rekening dreigde te worden en ook het douchegebeuren met Sjef de Noord hield hij niet voor zich. Aan het eind van de lange uiteenzetting bekende hij dat hij in wanhoop en tegen beter weten in, een DNA-onderzoek had laten doen en dat hij nu op de uitslag ervan zat te wachten.

Felix zweeg en Tica zei onder de indruk: 'Die avond, toen ik Davina bij je terugbracht, begreep ik uit wat zij zei dat er tussen jou en je vrouw iets goed mis was. Davina's bewering van toen, dat jij niet haar vader bent, klopt dus, terwijl ik het als louter kletspraat wilde zien. Dit is werkelijk het ergste van alles. Voor jou, maar zeker ook voor Davina. Ze heeft het op school regelmatig over jou en uit alles wat ze over je zegt, blijkt dat ze echt stapeldol op je is.'

Felix glimlachte. 'Dat weet ik. Davina en ik, we houden van elkaar zoals vader en dochter van elkaar behoren te houden. Daar wordt echter geen rekening mee gehouden, het wordt eenvoudigweg teniet gedaan. Maar weet jij eigenlijk dat Davina ook dol is op haar juf Tica en dat dat puur jouw verdienste is?' De vragende blik in een paar groene ogen deed hem verdergaan: 'Davina komt de laatste tijd herhaaldelijk bij me met het voor haar spannende verhaal dat juf Tica haar in de klas aldoor veelzeggende knipoogjes geeft!

"En dat komt," zegt ze dan, "omdat wij samen een geheimpje hebben en dat heeft ze met de andere kinderen niet. En juf geeft me soms ook zomaar een kus. Juf Tica is heel lief, ik hou van haar." Jij geeft haar meer dan je als juf verplicht bent en ook hier kan ik je niet genoeg voor bedanken.'

'Ik heb altijd al een zwak voor Davina gehad, ze is een van mijn liefste leerlingen. Dat ze ook een van de meest begaafden is, blijkt uit haar rapportcijfers. Sinds ik haar die bewuste avond als een zwerfstertje in de dop vond en zij me in vertrouwen nam, benader ik haar ongewild anders dan voorheen. Vanwege de droevige achtergronden heb ik medelijden met haar en besteed ik meer aandacht aan haar dan voordien. Maar voor mijn gevoel is het nog te weinig, ik zou zoveel meer voor haar willen doen. Op de eerste schooldag na de vakantie kwam ze naar me toe en fluisterde ze in mijn oor dat ze niet terug hoefde naar het dorp waar ze zo ongelukkig was, maar dat ze voorgoed bij jou mocht blijven. Hoewel ik dat toen al betwijfelde, hoopte ik stilletjes dat jij en haar moeder onderling tot deze afspraak waren gekomen. Dat blijkt dus een desillusie te zijn...'

Felix knikte en aangeslagen zei hij: 'Ze moet binnen afzienbare tijd terug. Naar een moeder die het vermogen mist om naar behoren voor haar kind te zorgen. En naar een man voor wie ze, terecht, doodsbang is. Nu je alles weet, zul je kunnen begrijpen dat ik momenteel niet bijster lekker in mijn vel zit.'

Hij nam de fles wijn die naast zijn stoel op de grond stond en terwijl hij hun glazen vulde, zei Tica zacht: 'Ik heb verschrikkelijk met je te doen en het geeft me een allerbelabberdst gevoel dat ik het daar, vanwege louter onmacht, bij moet laten.'

Felix schrok toen hij zag dat er tranen in haar ogen sprongen, hij haastte zich dan ook haar te waarschuwen. 'Ik wil niet dat jij mijn problemen te dicht naar je toe trekt! Ik heb het je verteld omdat ik me ertoe verplicht voelde, het is nu aan jou om alles naast je neer te leggen. Jij zult in je klas waarschijnlijk meer kinderen hebben uit probleemgezinnen, het zou niet best voor je zijn als jij al die zorgen van anderen op je schouders zou moeten stapelen. Schud het dus maar gauw van je af en kijk niet meer zo bedrukt,' adviseerde Felix. Toen hij zag dat zijn goedbedoelde raad niet het juiste resultaat opleverde, sneed hij gewiekst een ander onderwerp aan. 'We hebben het lang genoeg over mij gehad, vertel jij nu eens over jouw leven. Dat je voor de klas staat en je werk bijzonder goed doet, is me al heel lang duidelijk. Maar hoe vul jij je avonden en weekeinden in? Ik mag toch hopen dat je in je vrije tijd niet moederziel alleen in je flat zit te kniezen?'

Tica schoot in de lach. 'Zie ik eruit als een kniesoor? Om je gerust te stellen, kan ik zeggen dat ik best een gezellig leven leid. Ik ben er tenminste dik tevreden mee en zegt men niet dat een tevreden mens een gelukkig mens is? dus 's avonds heb ik altijd wel iets te doen. Als de schooldeuren sluiten, zijn wij nog lang niet klaar! Naar mijn smaak hebben we eigenlijk te vaak een vergadering. Ook moet ik, om allerlei redenen, regelmatig een bezoek brengen aan bepaalde ouders, en je wilt het niet weten hoe druk ik het heb als de rapporten klaargemaakt moeten worden. Op zaterdagochtend speel ik voor werkster in mijn flat, 's middags onderneem ik meestal iets leuks met Evelien Veldhuis. Zij woont bij mij in de flat, een verdieping lager dan ik. Vanaf de keer dat wij een kop koffie bij elkaar gedronken hebben, zijn we vriendinnen geworden.

Evelien heeft het momenteel ook niet gemakkelijk. Zoals jouw zus plotseling zonder werk kwam te zitten, is het Evelien ook vergaan. Zij zat op kantoor bij een bouwonderneming die failliet is gegaan, waardoor het personeel pardoes op straat kwam te staan. Evelien solliciteert zich zowat suf, maar tot nog toe heeft ze geen gepaste baan kunnen vinden. Ik geef haar groot gelijk als ze zegt dat ze ervoor bedankt om bij de Hema of waar dan ook, achter de kassa te kruipen. Ze zoekt een kantoorbaan die vergelijkbaar is met de vorige, maar die liggen blijkbaar niet voor het oprapen. Ze heeft nu uiteraard een uitkering, maar dat idee alleen al vindt ze vreselijk. Evelien verveelt zich overdag stierlijk, maar in de weekeinden vermaken we ons samen opperbest! Nou, zo ziet in het kort mijn leven eruit, heb ik je er tevreden mee kunnen stellen?'

'Niet helemaal,' bekende Felix, 'in je uiteenzetting mis ik verhalen over je ouders en die zul je toch hebben, neem ik aan?'

'Ja, natuurlijk! En hoewel pa en ma allebei regelrechte schatten zijn, heb ik weinig tot niets aan hen. En dat is geen onwil of liefdeloosheid, maar louter overmacht. Mijn vader werkt namelijk bij een grote oliemaatschappij en hij is voor drie jaar uitgezonden naar Brazilië. Daar is inmiddels nog maar één jaar van verstreken, het belangrijkste is echter dat ze het er naar hun zin hebben. Maar we missen elkaar wel, soms heb ik heimwee en ik moet zeggen dat dat geen prettig gevoel is...'

'Daar kan ik mij het nodige bij voorstellen,' zei Felix. 'En zo zie je maar weer dat elk mens een bepaalde vracht aan bagage mee krijgt die hij of zij zelf moet dragen. Daarom alleen al mag jij je om mij geen zorgen maken, ik red me wel!'

'Dat zul je wel móeten,' oordeelde Tica nuchter. 'Maar het is niet verboden met je mee te leven! En stiekem te hopen dat de uitslag van het onderzoek voor jou toch gunstig zal uitvallen. Want soms gebeuren er dingen in het leven van een mens die op wonderen lijken, terwijl ze toch al voorbestemd waren. Ik zie aan je dat je je ergert aan mijn gepreek!'

'Nee, ik kreeg de indruk dat je me een sprookje met een happy end zat te vertellen. Dat kun je voor de klas gerust doen, de kinderen zullen aan je lippen hangen. Maar je moet liever niet vergeten, juf Tica, dat deze jongen niet meer in dat soort verhaaltjes gelooft. Ik zal binnenkort meehuilen met mijn kleine meid, terwijl ik haar zo stommegraag lachend door het leven zou laten gaan.'

Daarop zei Tica: 'Ik hoop dat ik in de klas geen tranen van Davina zal hoeven te drogen, maar dat ik zal mogen genieten van een gelukkige lach op haar lief gezichtje.'

'De lach van een kind...' zei Felix bedachtzaam. In alle stilte dacht hij erachteraan: Ik zal die ene, zeer bepaalde lach op haar gezicht nooit kunnen vergeten. Het was die keer toen ik haar een belofte deed die ik niet waar zal kunnen maken.

7

GEDULD WORDT BELOOND, DIE ZEGSWIJZE WAS ZEKER OP FELIX VAN toepassing. Want voor zijn gevoel na eeuwenlang wachten, had Joosje de uitslag van het onderzoek vanochtend tussen de post ontdekt. Ze had Felix meteen op zijn werk gebeld en op zijn vraag, vol spanning: 'Staat er in wat ik al wist?' had Joosje gezegd: 'Dat weet ik niet, ik maak jouw post niet ongevraagd open.' Op aandringen van Felix had ze dat toen snel gedaan en ademloos had hij naar Joosje geluisterd toen zij onder meer voorlas: '...is onomstotelijk bewezen dat de heer Felix Visser de biologische vader van het kind is.'

Felix had zijn oren niet durven geloven en toen zijn collega's, die inmiddels van zijn besognes op de hoogte waren, hem uitbundig feliciteerden, had hij zuurzoet gelachen: 'Ik durf niet te vroeg te juichen, het is volgens mij te mooi om waar te kunnen zijn. Ik tril opeens over al mijn leden, ik zou niet weten hoe ik zo dadelijk mijn volgende patiënt naar behoren zal kunnen helpen. Tjonge... als het toch eens waar mocht zijn. Ik wou dat ik de brief zelf in handen had, dat ik het met eigen ogen kon lezen.'

Daarop had een van zijn collega's hem het enig juiste advies gegeven. 'Jij moet ervoor zorgen dat je zo snel mogelijk thuiskomt! Voor je eigen gemoedsrust, maar ook omdat je dan niet het risico loopt schadelijke fouten te maken bij een patiënt!'

Felix had het advies met beide handen aangegrepen, toen hij thuiskwam was Joosje hem in tranen om de nek gevlogen. 'Het is waar, Felix... er is geen twijfel meer mogelijk!' Felix geloofde het pas nadat hij de brief een paar keer had overgelezen. Toen had hij onstuimig zijn armen om zijn zus heen geslagen, haar van de grond opgetild en een vreugdevolle rondedans met haar door de kamer gemaakt.

Inmiddels waren de gemoederen bij hem en Joosje weer wat gekalmeerd. Ze zaten tegenover elkaar aan de tafel van de eethoek achter de zoveelste kop koffie toen Felix bekende: 'Ik kan het me niet herinneren dat ik me eerder zo vreemd heb gevoeld als op het moment. Ik heb gewoon geen macht over mijn gevoelens, alles tolt door elkaar heen.'

'Ik ben er niet veel beter aan toe,' zei Joosje. 'En toen ik Giel zopas belde om het goede nieuws aan hem door te geven, kwam er van beduusdheid ook geen zinnig woord over zíjn lippen. Ik moet aldoor aan Davina denken, ik ben zo benieuwd hoe zij erop zal reageren.'

Daarop bromde Felix: 'Ik ben in gedachten met Suze bezig. Hoe kwam zij ertoe, vraag ik me af, om een leugen waar zoveel van afhing, te lanceren. Wat heeft haar bezield, haar ertoe te bewogen om mij zo gemeen dwars te zitten? De spanningen van de laatste tijd waren ondraaglijk. Waarom, Suze, ging jij zo onmetelijk ver?'

Op die laatste, hardop uitgesproken, gedachte van Felix, zei Joosje: 'Hoe eerder je contact met haar opneemt, hoe eerder je antwoord krijgt op deze kwellende vragen. Bel haar of stap in je auto en ga naar haar toe!'

Felix aarzelde maar heel even voordat hij beslist zijn hoofd schudde. 'Als ik nu oog in oog met haar kom te staan, zal ik dingen zeggen of doen waar ik later spijt van zal krijgen. Ik veroordeel haar zoals ik nog nooit een mens veroordeeld heb en op dit moment durf ik niet voor mezelf in te staan. Er zit dus niets anders voor me op dan dat ik haar zal moeten bellen.'

'Dan laat ik je alleen met haar,' zei Joosje discreet. Ze voegde de daad bij het woord en verliet de huiskamer.

Felix bleef een tijdlang met een donker gezicht naar de telefoon staren die voor hem op de tafel lag. Alsof hij zijn volle hart moest luchten, slaakte hij een diepe zucht voordat hij hem opnam en een nummer intoetste.

'U spreekt met het huis van Sjef de Noord, met Suze.'

Nou, kijk eens aan, dat keurige heeft ze vast niet van zichzelf, schoot het door Felix heen. Zijn stem klonk schor van de emoties toen hij zich bekendmaakte. 'Ik ben het, Felix.'

'O... Leuk je stem weer eens te horen.'

'Hou je dan maar vast, want ik heb iets "leuks" te melden.' Felix moest eerst diep ademhalen voordat hij verder kon. 'Omdat ik me er niet klakkeloos bij neer kon leggen dat Davina niet van mij zou zijn, heb ik voor alle zekerheid een DNA-onderzoek laten doen. En die is...'

Hier onderbrak Suze hem. 'Ik heb er, geloof ik, weleens van gehoord, maar 'k weet niet precies wat het inhoudt.'

Felix schudde vertwijfeld zijn hoofd; dat had ik kunnen weten! Net als hij het eerder tegen Davina had gedaan, legde hij nu zo eenvoudig mogelijk aan Suze uit wat een DNA-onderzoek inhield en wat je ermee bereiken kon. 'Verder zal ik het niet onnodig ingewikkeld voor je maken, ik bel je om te zeggen dat de uitslag van het onderzoek heeft uitgewezen dat ik en géén ander de vader ben van Davina! Hoe kon jij in vredesnaam het tegendeel beweren? Dát wil ik weten! Doe je mond dus open en zeg me hoe je op dat zotte idee bent gekomen!'

'Dat weet ik niet... ik dacht het gewoon.' Het bleef even stil aan de andere kant van de lijn, maar toen was Suze er weer. 'Om eerlijk te zijn, weet ik wel hoe ik ertoe gekomen ben... maar het is best moeilijk om dat tegen jou te moeten zeggen...'

Felix viel geërgerd uit: 'Waar ben je mee bezig! Snap je dan niet dat ik tot het uiterste gespannen ben! Je moet door blijven praten en rap een beetje!'

'Ja, nou hoor, je hoeft niet zo tegen me te snauwen. Toen ik jou destijds leerde kennen, was ik overtijd. Maar daar stond ik toen niet bij stil, want ik kan nooit precies zeggen wanneer ik ongesteld word. Dat is bij mij altijd al onregelmatig geweest, maar dat weet je misschien nog wel. Toen Sjef en ik weer contact met elkaar hadden, bedacht ik dat het best leuk zou zijn als hij Davina's vader was. En omdat ik dat toen zo graag wilde en omdat Davina helemaal niet op jou lijkt, vond ik het helemaal geen gek idee dat zij niet van jou zou zijn. Dat ging ik toen gewoon geloven en ook hardop zeggen. Zo is het gekomen; jammer nou, dat het niet zo blijkt te zijn...'

Felix haakte in op het laatste. 'Voor jou misschien, echter niet voor mij! Ik ben waanzinnig gelukkig met deze goede uitslag en jij moet het tot je door laten dringen dat Davina voorgoed bij mij blijft! Begrijp je hoe ik dit bedoel?' vroeg hij voor de zekerheid.

'Jawel, maar ze is net zo goed van mij als van jou! Ik ben haar moeder en als ik zeg dat ze bij mij terug moet komen, dan gebeurt dat gewoon. Bij een scheiding krijgen moeders altijd hun zin!'

'Dat denk jij, dat is je waarschijnlijk ingefluisterd. Probeer dan eens te bedenken wat er gaat gebeuren als ik zeg dat mijn kind niet veilig is bij haar moeder omdat haar vriend pedofiele neigingen vertoont. Hij heeft het kind staan te beloeren toen zij onder de douche stond en toen ze in radeloze angst om haar moeder riep, schoot jij haar niet te hulp, maar stond je er bij te lachen. Met deze gegevens zal ik voor de rechtbank sterk staan, jij uiterst zwak, Suze!'

'Wat flauw van Davina om dat aan jou te verklappen. Het stelde niks voor, het was een akkefietje. Sjef wilde gewoon een bloot kind zien, wat kan daar nou op tegen zijn!'

Felix slaakte een moedeloze zucht. 'Het kost me momenteel teveel energie om hier met jou over te gaan bekvechten. Ik kan het je helaas niet beletten dat je partij kiest voor die fraaie vriend van je.'

'Ik zal tegen Sjef zeggen dat ik me, wat Davina betreft, heb vergist. Is het goed dat ik je terug bel om te zeggen hoe hij erover denkt?'

'Telt jouw stem bij hem niet, Suze..? Ach, laat maar, ik vraag naar de bekende weg. Voordat ik ophang, wil ik je erop attenderen dat het mij is opgevallen dat jij niet naar het welzijn van je dochter hebt geïnformeerd. Het kan je weinig schelen, nietwaar Suze, hoe zij het maakt?'

'Ik weet dat ze het bij jou goed heeft, waar zou ik me dan druk over moeten maken? Jij doet altijd zo moeilijk!'

Felix achtte het niet nodig dáár weer op in te gaan, hij verbrak de verbinding.

Hij trof Joosje in de keuken aan en nadat hij het gesprek tussen hem en Suze in het kort had weergegeven, zei hij aangeslagen: 'Ze is niet voor rede vatbaar, ik kan met haar geen verstandig woord wisselen. En achteraf moet ik bekennen dat dat altijd zo geweest is. Acht jaar lang was er tussen haar en mij geen normale conversatie mogelijk...'

Joosje probeerde hem moed in te spreken. 'Je moet Suze van je af zetten, kijk liever naar het overweldigende goede dat vandaag naar je toe is gekomen! Laat het tot je doordringen, Felix, dat Davina het belangrijkste van jou heeft meegekregen! Ze heeft jouw innerlijk, jouw goede hart en dus lijkt ze wel degelijk sprekend op jou!'

'Lief van je om dit te zeggen.'

'Kijk dan niet langer zo zorgelijk, wees blij en straal dát uit. Al was het alleen voor Davina. Als zij straks uit school komt en ze het lachende geluk in je ogen ziet, zal dat op haar overslaan. Ik ben zielsgelukkig, onzegbaar dankbaar dat het voor ons zo goed is afgelopen...'

Felix sloeg een arm om haar heen. 'Maak je geen zorgen, ik weet hoe ik mijn dochter zo dadelijk moet benaderen! Ik verheug me erop dat ik de belofte die ik haar eens in pure wanhoop gegeven heb, uiteindelijk toch waar kan maken. En dat is beslist geen eigen verdienste, want dan zou er niet zoveel dankbaarheid in mijn hart zijn..!'

In de tijd die volgde wierp Felix herhaaldelijk een blik op de klok en toen Davina op een gegeven moment binnen kwam huppelen en ze hem net als anders met een spontane kus begroette, trok Felix haar bij zich op schoot. 'Valt het je niet op dat ik al thuis ben?'

'Jawel, maar dat vind ik alleen maar leuk en gezellig! Waaróm ben je dan al zo vroeg thuis?' liet ze er nu toch nieuwsgierig op volgen.

Joosje liet opnieuw blijken dat ze haar plaats kende; zij verliet het vertrek. Felix zei tegen Davina: 'Je weet nog wel van het DNA-onderzoek? Nou, vandaag heb ik de uitslag ervan thuis gestuurd gekregen. En nu kan niemand jou meer bij me weghalen, want jij bent míjn dochter, ík ben jouw pappa! Je kijkt me alleen maar aan, ben je niet, net als ik, verschrikkelijk blij dan?'

Davina haalde haar schouders op. 'Ik wist het immers de hele tijd al heel zeker.' Een moment dwaalden haar donkere ogen over Felix' gezicht, daarna plooide haar mond zich in een overgelukkige lach die op een aparte manier in haar ogen weerspiegelde. De lach van een kind, flitste het door Felix heen, vervolgens genoot hij van een paar kinderarmen om zijn nek en van een zacht stemmetje bij zijn oor: 'Ik ben er héél erg blij om, want ik was soms toch wel een beetje bang dat ik, heel misschien, toch een vreemde, heel erg enge pappa zou hebben. Maar nu is alles weer goed,' besloot ze met een zuchtje van tevredenheid.

Het deed Felix pijn dat ze Suzes naam niet noemde en voorzichtig polste hij: 'Je hoeft de man die jou zo bang heeft gemaakt, geen oom Sjef meer te noemen, hij is slechts een vriend van je moeder, niet van ons. Maar met mamma ligt dat anders, je zult haar best wel missen. Toch?'

'Soms wel, maar niet zo heel vaak. En dat komt omdat tante Joosje zo lief voor me is en juf Tica ook. Morgen vertel ik het aan juf Tica, dat mag toch?'

'Jazeker! En anders doe ik het wel, want toen ze die keer bij me op bezoek was, hebben jouw juf en ik afgesproken dat ze gauw weer eens een keertje bij ons komt. Of wist je dat al, want ik zie iets ondeugends in je oogjes blinken?'

'Ja, dat wist ik, want juf en ik, wij vertellen elkaar alles! Net zoals echte vriendinnen dat doen, zei juf Tica!'

Het stralende in haar ogen was bedoeld voor haar juf, niet voor haar moeder, wist Felix. En verdrietig bedacht hij: Ach, Suze, wat heb jij in al je onwetendheid veel vergooid. Ik kan alleen maar medelijden met je hebben...

Die avond ging Felix vaker dan normaal naar boven om zich ervan te vergewissen dat zijn kleine meid lekker lag te slapen. En elke keer keek hij minutenlang op het slapende meisje neer en voelde hij zijn hart volstromen met pure vaderliefde. Je lijkt uiterlijk niet op mij, maar je bént mijn dochter, mijn kleine kameraadje... Je bent aan mij toevertrouwd en dat ervaar ik als een zegen. Het is gelijk een wonder dat ik een kind als jij mág hebben.

Na het telefoontje van Felix zat Suze met gemengde gevoelens op de thuiskomst van Sjef te wachten. Wat zou hij zeggen of doen, als zij aan hem vertelde dat ze zich had vergist en dat niet hij, maar toch Felix de vader van het kind was? Normaal kon ze bijna niet wachten totdat Sjef thuiskwam, nu voelde ze zich erg onrustig.
Bij Felix had ze altijd precies geweten waar ze aan toe was. Hij was altijd in hetzelfde humeur, geduldig en vriendelijk. Sjef was heel anders, bij zijn thuiskomst keek ze altijd eerst vlug even naar zijn gezicht. Als ze daar geen spoor van ergernis of onvrede op las, was het goed en was zij weer gerustgesteld. Gelukkig was hij meestal lief voor haar, hij nam zelfs regelmatig een bos bloemen voor haar mee. Dat vond ze bijzonder leuk van hem en Sjef hoefde er niet bij te zeggen dat zij daar iets tegenover moest stellen, want dat snapte ze heus zelf wel. Sjef was de liefste man van de wereld als hij haar verwende, waarom zou ze dat dan niet terug doen. Toch was ze ook weleens bang voor Sjef, dan vroeg ze zich af of ze niet beter bij Felix had kunnen blijven. Ze had het vroeger met Sjef uitgemaakt omdat hij haar had geslagen. Hoe vaak had hij inmiddels al niet gezegd dat dat hem nog altijd dwarszat en dat hij er ontzettend veel spijt van had? En toch had hij het laatst weer gedaan. Die avond had zij het eten niet klaargehad toen hij van zijn werk thuiskwam. Ze had het

gewoon vergeten op te zetten en dat kwam omdat er op de televisie een romantische film was geweest die haar erg had geboeid. Als zij op de bank voor de televisie lag, vergat ze alles en iedereen om zich heen. Daar kon ze niks aan doen, het was altijd al zo geweest. Ze vond het heel gewoon, ze mocht toch zeker gerust genieten van de enige hobby die ze had! Sjef was echter woedend geweest, hij had haar van de bank gesleurd en haar hardhandig voor zich uit geduwd naar de keuken. Daar had hij haar uitgescholden voor van alles en nog wat en alsof dat niet genoeg was geweest, had hij haar links en rechts harde klappen in haar gezicht gegeven. Ze had toen vreselijk moeten huilen en over haar toeren had ze gesnikt dat ze naar Felix terug wilde. Dat had ze natuurlijk niet echt gemeend, maar Sjef was ervan geschrokken. Hij had haar in zijn armen genomen, gezegd dat hij er spijt van had en beloofd dat hij haar nooit meer pijn zou doen. Toen hadden ze het afgekust en was het weer goed geweest.

Lieve Sjef, ze hield, echt waar, heel veel van hem. Toch vertoonde hij soms rare nukken, vond ze, want hij ging regelmatig naar de kroeg, terwijl hij thuis geen bier of borrels dronk. Ze had een keer gevraagd waarom hij desondanks de kroeg opzocht en toen had Sjef gezegd dat hij sociale contacten nodig had. Wat hij daar precies mee bedoelde, wist ze niet en het kon haar ook niks schelen. Hij ging zijn gang maar, zij peinsde er niet over met hem mee te gaan.

Hier dwaalden haar gedachten weer naar Felix. Tjonge, wat kon die man een hoop ophef maken om niks! Wat gaf het nou dat Sjef Davina had staan te bekijken toen zij in haar blootje onder de douche stond. Zij had er alleen maar om kunnen lachen. Maar vreemd genoeg dacht Felix daar anders over. Zijn stem sloeg zowat over van kwaadheid toen hij zei dat Sjef een bepaalde neiging had. Die had hij een naam gegeven, maar die was ze vergeten. Pedromiel, of zoiets. Zij had geen idee wat het betekende, Felix had echter gedaan alsof het iets ergs was. Dat snapte zij niet, ze vond het alleen maar een duur klinkende naam. Net alsof je ervoor moest hebben doorgeleerd om zo'n soort naam te kunnen bemachtigen.

Ze zou straks aan Sjef vertellen hoe kinderachtig Felix zich kon aanstellen als het Davina betrof. Hij had haar verweten dat ze niet naar het kind gevraagd had. Nou, dat kwam omdat ze gewoon geen moment aan Davina had gedacht, kon zij dat helpen? Misschien had ze nooit een kind moeten krijgen. Want het was natuurlijk wel zo dat je er meer last dan plezier van had. Dat vond Sjef ook en daarom was het misschien geen gek idee om haar bij Felix te laten. Dan had zij haar handen lekker vrij en hoefde Sjef zich niet aldoor aan het kind te storen.

Het was lang geleden dat Suze haar hersenen zo lang had laten werken. Ze was er moe van geworden. Het viel Sjef op dat er iets met haar aan de hand was, want toen hij van zijn werk thuiskwam monsterde hij peilend haar gezicht. 'Wat zie je er raar uit, ben je chagrijnig?'

'Nee, maar Felix heeft me gebeld en me aan het denken gezet en daar ben ik van uit mijn doen geraakt. Schuif eerst maar aan tafel dan vertel ik het tijdens het eten aan je.'

Nadat ze allebei hadden opgeschept, kreeg Sjef de Noord het hele verhaal te horen. Suze besloot haar relaas met de vraag: 'Schrik je ervan, Sjef?'

Hij sneed zijn bijna zwartgeblakerde speklap in stukjes en haalde zijn schouders op. 'Ik snap niet hoe jij het in je hoofd haalde om mij als de vader aan te wijzen terwijl je daar niet zeker van was, begrijp ik nu. Verder kan ik alleen maar zeggen dat de uitslag van het onderzoek mij bijzonder goed van pas komt! Ik geef niks om Davina, ze loopt me alleen maar hinderlijk voor de voeten.'

'Dat wist ik allang, ik heb mijn ogen niet in mijn zak. Daardoor had ik voordat jij thuiskwam, al bedacht dat we haar misschien maar beter bij Felix kunnen laten. Vind je niet?'

Sjef maakte zijn mond leeg, vervolgens keek hij haar indringend aan. 'Nu ik weet dat ze niet van mij is, peins ik er niet over om het kind van een ander groot te brengen. De keus is nu geheel aan jou, Suze! Zonder Davina kun je bij mij blijven, in het andere geval kun je maar beter teruggaan naar waar je vandaan komt. Zeg het maar!' Het grijnslachje om zijn lippen moest verbloemen dat hij zat te bluffen, hij moest er niet aan denken dat ze werkelijk naar Felix terug zou gaan. Hij slaakte dan ook een onhoorbare zucht van verlichting toen hij Suze hoorde zeggen: 'Ik wil bij jou blijven, Sjef. Ik hou van je en wil je niet nog een keer moeten missen...'

'Nou, kijk eens aan, dan zijn wij er samen al uit! Volgens mij kun je Felix dan nu maar beter meteen bellen, dan weet hij ook waar hij aan toe is. Ik kan er overigens met mijn pet niet bij dat die man Davina met alle geweld bij zich wil hebben. Hij kan overdag niet eens voor haar zorgen, ze bezorgt hem dus alleen maar overlast. Wat koop je daar nou voor, vraag ik me af!'

'Je weet toch dat zijn zus voor haar zorgt! Felix en Joosje, het zijn twee handen op één buik. Ze zijn allebei stapeldol op Davina, wat dat betreft kan zij het nergens beter krijgen. Eerlijk is eerlijk. Ja, ik zal Felix bellen, maar ik moet zo dadelijk eerst naar mijn favoriete soap op de tv kijken. Die mag ik niet missen, die gaat bij mij vóór alles!'

Sjef lachte breed. 'Dát is mij bekend! Ik ga me douchen en omkleden en daarna zoek ik de tuin op. Een hap buitenlucht zal me goed doen. Ik heb vandaag in het appartement waar we nog volop aan het afbouwen zijn, de keuken betegeld en dus heb ik geen sprankje zon gezien of gevoeld.'

Suze knikte alsof ze er alles van begreep. Dat dat niet het geval was, bleek toen ze hem niet op de zon, maar op de dorpskroeg wees. 'Je zou ook naar de kroeg kunnen gaan! Je zult er vast een paar van je maten treffen en anders misschien wel sociale contacten!'

Sjef schudde zijn hoofd over de domheid die Suze weer eens toonde. Hij had geen zin haar uit te leggen wat de betekenis van het woord was en nadat hij het zweet van die dag van zich af had gewassen, liet hij zich neerzakken in een tuinstoel en legde hij zijn vermoeide benen op een voetenbankje. Ziezo, wie doet me wat, Felix Visser in ieder geval niet, bedacht hij in zichzelf grinnikend. Die kerel durfde anders wel wat te beweren! Uit haar onbeholpen manier van uitleg had hij van Suze begrepen dat Felix Visser hem een pedofiel noemde. Op dat moment was hij zich lam geschrokken, inmiddels kon hij zijn schouders er laconiek over ophalen. Het was een ophef om niks, hij had enkel willen zien hoe een bloot kind eruitzag. Dat andere, waar Felix hem van beschuldigde, zou niet eens bij hem kunnen opkomen. Hij zou zich doodschamen als het wel zo was! Hij kon zich er niet meer druk om maken, er waren belangrijker zaken die hem bezighielden.

Hij ervoer het als een verlossing dat hij zich geen vader hoefde te noemen. En zich vader vóelen kwam voor hem al helemaal niet aan de orde. Hij hield nu eenmaal niet van kinderen. Hij was wel blij dat hij Suze terug had, want nu hoorde hij tenminste een beetje bij zijn kroegmaten. Zij hadden hem voorheen een buitenbeentje genoemd, ze hadden het merkwaardig gevonden dat hij een knappe vent om te zien alleen door het leven ging. Zijn verweer was altijd hetzelfde geweest: 'Ik hou nog steeds van Suze.' Daar was voor hem alles mee gezegd.

Hij was het niet vergeten hoe hij haar acht jaar lang had gemist en het speet hem dan ook niet dat hij op een gegeven moment weer contact met haar had gezocht. Suze was de enige vrouw die bij hem paste, dat was gewoon zo. Haar huwelijk met Felix Visser stond toen al geruime tijd te sudderen in een versleten pannetje, het had hem dan ook geen moeite gekost haar weer voor zich te winnen. Sindsdien kon hij met zijn maten wedijveren en straks, als haar scheiding erdoor was, zou hij ervoor zorgen dat hij zo snel mogelijk in het dorp bekend kwam te staan als een keurig getrouwde man.

Dat hij niet met de snuggerste zou trouwen, maar met een slons, hoefde hij er niet bij te zeggen, want dat wist het hele dorp. Suze was, net als haar moeder, dom geboren en had niets bijgeleerd, liever lui dan moe. Dat had hij van te voren geweten en dus kon hij er nu niet over lopen zeuren. Dat prentte hij zichzelf in en zo kon hij gelaten bedenken: Ach, wat geeft het ook, ik ben immers jarenlang gewend geweest om zelf mijn boeltje te onderhouden. Waarom zou hij dan nu niet, net als toen, zonder morren de stofzuiger door het huis trekken, de ramen lappen en af en toe een deur soppen? En als de stoflaag op de meubels te dik werd, deed hij daar ook iets aan. Hij kon zich echter niet altijd zo loyaal jegens Suze opstellen. Het gebeurde ook dat hij zich doodergerde en woedend werd als hij de rotzooi in zijn huis in ogenschouw nam. Dan bedacht hij dat hij toch warempel niet voor niets een vrouw in huis had gehaald. Voor wat hoort wat, dat gold ook voor Suze! Het was doodnormaal dat zij haar handen uit de mouwen stak, maar daar werd hij door haar telkens weer in teleurgesteld. En als zij dan bovendien het eten bij zijn thuiskomst niet klaar had en dat gebeurde nog al eens, werd hij zo woest dat zijn bloed ervan ging koken. Dan moest hij zich beheersen om haar niet in elkaar te rammen. Ja, hij kende zichzelf, hij was een driftkikker en zijn handen zaten nu eenmaal los aan zijn lijf. Vanwege haar manier van leven, werkte Suze de laatste tijd regelmatig op zijn zenuwen, maar met inspanning van al zijn krachten gelukte het hem zichzelf in toom te houden. Op één keer na, toen was hij toch weer eventjes de fout ingegaan en had hij haar zijn handen laten voelen.

Dat moest hij voortaan hoe dan ook zien te voorkomen. Want zolang haar scheiding er nog niet door was, liep hij het risico dat Suze hem opnieuw de rug toe zou keren. Hij was er voor zichzelf van overtuigd dat Felix haar dan weer met open armen zou ontvangen. Hij moest zijn tijd geduldig afwachten en als die eenmaal gekomen was, zou hij Suze leren hoe zij zich ten opzichte van hem moest gedragen. Dan zou hij haar heropvoeden en als die inspanning van hem gepaard zou moeten gaan met de zegswijze: wie niet horen wil, moet voelen, was dat voor Suze pech hebben. Dan kreeg zij wat ze verdiende en stond hij volkomen in zijn recht. Want het is natuurlijk wel zo, bedacht Sjef, dat de man thuis de baas is!

Terwijl hij de dingen vanuit zijn voordeel bezag, liet Suze zich meeslepen door de romantiek op de tv. Toen de soap afgelopen was, slaakte ze een teleurgesteld zuchtje en murmelde ze: 'Hè, jammer nou, ik zou nog uren willen blijven kijken.' In plaats daarvan zou ze Felix moeten bellen. Ze had op het ogenblik veel teveel vervelende dingen aan haar hoofd, daar kon ze helemaal niet tegen.

Dat hoorde Felix meteen aan haar stem. 'Gaat het wel goed met jou, Suze?'

'Ja, hoor. Ik had beloofd dat ik je zou terugbellen en nu kom ik zeggen dat Sjef niet van plan is jouw kind groot te brengen. En daarom vindt hij het goed dat Davina bij jou blijft.'

'En jij? Heb jij er goed over nagedacht wat ik je duidelijk heb willen maken?'

'Ja. Ik ben het met Sjef eens. Wij willen liever samen verder, zonder Davina. Nou, dan weet je het en hang ik weer op.'

Daarop haastte Felix zich te zeggen: 'Nee, wacht nog even! Ik kan het me namelijk niet voorstellen dat jij Davina vrijwillig aan mij afstaat. De gelatenheid waarmee je de dingen zegt, is even absurd als onnatuurlijk. Ze is en blijft jouw kind, Suze, en als jij in de nabije toekomst naar haar verlangt, moet je mij dat vooral laten weten. Dan zorg ik ervoor dat Davina bij je komt. Daar moet ik echter een maar aan verbinden, want met het oog op je vriend kan ik niet toestaan dat Davina naar jou toekomt. Zonder Sjef de Noord, dat vooropgesteld, ben jij hier altijd welkom en anders zoeken en vinden we zeker een andere ontmoetingsplaats. Ik hoop dat ik je hiermee heb kunnen geruststellen?'

'Ik kan nu toch nog niet weten óf ik Davina zal missen? Nou ja, dat hoor je dan vanzelf wel. Ik snap niet waarom jij zo'n hekel hebt aan Sjef,' liet ze er in één adem op volgen. 'Komt dat nou alleen vanwege die neiging van hem waar jij het over had? Jij gaf er een naam aan, maar die ben ik vergeten. Wil je me uitleggen wat die betekent?'

Dit slaat toch werkelijk alles, flitste het door Felix heen. Hij schudde vol verbijstering zijn hoofd, tegen Suze deed hij kortaf. 'Met een dergelijke vraag moet je liever niet bij mij aankloppen. Je geliefde zal het je haarfijn kunnen uitleggen. Of hij het zal dóen, betwijfel ik. Dag Suze, we zien elkaar binnenkort in de rechtszaal.'

Felix verbrak de verbinding en voor de zoveelste keer vroeg hij zich af waarom hij vroeger niet naar zijn ouders had geluisterd. Ze hadden hem voor Suze gewaarschuwd, maar blind en doof van verliefdheid, had hij al hun goede raadgevingen lachend weggewuifd. Spijt komt te laat. De tranen die hij er nu door achter zijn ogen voelde prikken, waren stille getuigen van het feit dat het zijn eerlijke bedoeling was geweest Suze gelukkig te maken. Dat er Eén was die dit van hem wist, werkte voor hem niet als een geruststelling.

8

NA DE ZOMER WAS HET INMIDDELS HARTJE WINTER GEWORDEN. HET was nu februari, de temperatuur deed echter denken aan het voorjaar. Het was abnormaal zacht voor de tijd van het jaar en veel mensen oordeelden dat er duidelijk sprake was van een klimaatsverandering.

Daar stond Tica deze zaterdagmiddag niet bij stil, zij voerde een telefonisch gesprek met Manon dat al ruim een halfuur gaande was. Ze babbelden er lustig op los, totdat Manon zichzelf onderbrak. 'Nu vergeet ik toch warempel bijna jou het nieuws van de dag te vertellen en daar belde ik je nu juist voor op! Net als veel dorpsgenoten, stond ik vanochtend al vóór tien uur bij het gemeentehuis te wachten op het bruidspaar Sjef de Noord en Suze Hofman. Hoor je hier van op of wist je het misschien al van Felix?'

'Nee! Ik ben gisteravond nog bij Felix op bezoek geweest en toen wist hij van niets, want anders zou hij het zeker aan mij hebben verteld. Zo, dus Suze is hertrouwd! Nou ja, ze heeft er alle recht toe, de scheiding tussen haar en Felix is maanden geleden al officieel uitgesproken. Ik hoop dat het span gelukkig wordt. Hoe Suze eruitzag, interesseert me eigenlijk niet, wat moet ik er dan nog op zeggen? Ik moet trouwens ophangen, Manon, want ik krijg zo meteen bezoek. Van Evelien Veldhuis, een vriendin over wie ik je weleens heb verteld, weet je nog?'

'Jawel, zij woont bij je in de flat. Nou, dan maken wij er een eind aan, bel je mij binnenkort een keer terug?'

'Dat zal ik doen en we moeten ook niet al te lang meer wachten met het maken van een afspraak, ik zou het fijn vinden je gauw weer eens te zien. Dan kom jij bij mij, want ik ben de laatste keer bij jou geweest.'

Op dat moment ging de bel van haar voordeur. Tica moest echter nog even naar Manon blijven luisteren. 'We hoeven de beurten niet op de weegschaal te leggen, wat dat betreft mag je gerust eerst nog een keertje weer bij mij komen. Maar dat bespreken we nog wel van te voren. Nog een prettige dag verder en tot horens.'

Hierna repte Tica zich naar de voordeur en toen ze die open had getrokken, zei Evelien: 'Ik dacht dat je niet thuis was, 'k wilde net rechtsomkeert maken!'

'Natuurlijk ben ik thuis, we hadden immers áfgesproken dat je bij me zou komen. Als er onverhoopt iets tussen was gekomen, zou ik je dat uiteraard hebben laten weten.'

In de huiskamer verklaarde Tica waarom ze de deur niet meteen open had kunnen doen. 'Ik kreeg een telefoontje van Manon en nadat we over van alles en nog wat hadden zitten kletsen, vertelde zij me op de valreep dat Suze vanochtend is hertrouwd! Het verbaasde me niet echt, het was immers voorspelbaar! Ik moet het echter wel tegen Felix zeggen, want volgens mij is hij er niet van op de hoogte.'

'Hoe gaat het met Felix en zijn dochter?'

Daarop zei Tica zoals het was: 'Nu de rust voor hen is weergekeerd, Felix zich niet meer gespannen hoeft af te vragen of hij Davina aan een ander zal verliezen, kan hij weer helemaal zichzelf zijn. En dat geldt ook voor Davina, je merkt aan haar niet meer van de angstige tijden die haar leventje heeft gekend. Alles is gelukkig weer goed op zijn pootjes terechtgekomen. Dat geldt dus kennelijk ook voor Suze.'

'Jij hebt toen aan mij verteld dat Suze destijds in de rechtszaal heeft gezegd dat ze wilde dat de vader het kind kreeg toegewezen. Ik vind het uiterst merkwaardig dat een moeder een dergelijke uitspraak doet, maar voor Davina is het een zegen. Er was wel een omgangsregeling voor Suze getroffen, zei jij toen, heeft ze daar inmiddels gebruik van gemaakt?'

Tica greep de theepot die op een waxinelichtje binnen handbereik op de salontafel stond. En terwijl ze hun glazen vulde, het schaaltje bonbons richting haar vriendin schoof, zei ze verontwaardigd: 'Dat mens, die Suze, is het niet waard dat ze zo'n schat van een dochter heeft! In al de achterliggende maanden heeft ze het gepresteerd om, via Felix, één enkele afspraak met Davina te regelen. Ze wilde niet naar Felix' huis komen en daar kan ik me wel iets bij voorstellen. Op een zaterdagochtend heeft Felix Davina naar de binnenstad gebracht. Zoals was afgesproken, zouden ze elkaar aan de voet van de Martinitoren treffen en daar stond Suze haar al op te wachten. Volgens Felix hadden Suze en Davina elkaar verlegen, in ieder geval zichtbaar onhandig, begroet met een kusje op de wang. Na de afspraak, dat hij haar tegen vijf uur in de middag op dezelfde plek weer zou ophalen, heeft Felix hen alleen gelaten. In de hoop dat moeder en dochter er samen een fijne dag van zouden maken.

's Avonds hoorde Felix dat daar, door toedoen van Suze, niets van terecht was gekomen. In plaats dat Suze gezellig met Davina ging winkelen, haar verraste met desnoods een klein cadeautje, is ze met het kind regelrecht een restaurant ingedoken. En daar, aan een tafeltje voor het raam, hebben ze de hele dag doorgebracht. Suze heeft er domweg zitten wachten tot de uren voorbij waren. Davina beklaagde zich er later tegen Felix over en zeer vastbesloten heeft ze toen tegen hem gezegd dat ze nooit, nooit meer een dagje met mamma uit wilde. "Mamma wilde alleen maar zitten koffiedrinken. Ze heeft wel vijf kopjes gehad en daar nam ze elke keer een borrelglaasje bij met iets erin en dat kieperde ze dan in haar koffie. Tussen de middag gingen we een salade eten en daarna zei mamma dat ze even een poosje haar ogen dicht moest doen, want dat ze heel erg slaperig was. Ze had toen vuurrode wangen, net alsof ze het heel heet had. Toen ging ze zomaar aan dat tafeltje zitten slapen en daar schaamde ik me voor, want de mensen keken allemaal naar ons. En toen mamma eindelijk weer wakker werd, wilde ze nog niet met me gaan winkelen terwijl ik daar juist zo'n zin in had. Toen ik het toch nog een keer vroeg zei ze snauwerig dat ik een vreselijk verwend en zeurderig kind was en dat zij niet nog eens met mij op stap zou gaan, want dat ze doodmoe van me werd. Dat vindt mamma van mij, ik vind van haar dat ze niet meer lief is." Zo vertelde Felix mij dit droevige verhaal waar ik gewoon niet goed van werd. Hij zei het nauwelijks te kunnen geloven dat Suze elke keer een borrel in haar koffie deed, want volgens hem dronk ze vroeger slechts bij hoge uitzondering een glas wijn. Nou ja, dat weet ik niet, maar na die ene keer heeft Suze niet meer gebeld om een volgende afspraak te maken. En naar het schijnt spijt dat Davina niet. Dat is erg genoeg, maar beslist niet de schuld van dat lieve kind,' besloot Tica.

'Jij houdt van dat meisje, dat merk ik aan alles.' Evelien bestudeerde peilend het gezicht van haar vriendin, maar dat ontging Tica. Zij glimlachte en zei: 'Ik geef misschien wel te veel om Davina. In de klas trek ik haar voor en daar moet ik toch wat voorzichtiger mee zijn. Maar ja, wat doe ik eraan, ze heeft mijn hart nu eenmaal gestolen.'

'En jij, heb jij het hart van haar vader inmiddels al weten te vinden?' Als door een adder gebeten, zo staarde Tica haar een moment aan voordat ze uitstiet: 'Doe even normaal, zeg! Hoe kom je op zo'n absurd idee!'

Evelien haalde haar schouders op. 'Het leek me voor de hand liggend. Jij brengt de laatste tijd zo vaak een bezoek aan Felix Visser dat een normaal mens daar gewoon iets achter móet zoeken.'

'Volgens jou kan een vrouw dus niet alleen met een leuke man bevriend zijn, maar moet daar per se meer achter steken?'

'Het begint doorgaans met vriendschap en gaandeweg komt dan van het een het ander. Maar er is niks op tegen, hoor Tica, als jij je hart verliest aan Felix Visser. Ik ken hem slechts uit jouw verhalen over hem en die zeggen mij dat hij een goed mens is!'

'Dat is absoluut waar,' benadrukte Tica. 'Felix is een integere man waar geen greintje kwaad in zit. En nu hij weer helemaal tot rust is gekomen, komt zijn humor ook weer bovendrijven. Behalve dat ik goed met hem kan praten, kunnen we samen schaterlachen om iets onbenulligs. Dat vind ik bijzonder prettig, maar het heeft niets van doen met liefde! We mogen elkaar graag, maar daar houdt het mee op. Anders zou ik het toch zeker allang aan jou hebben verteld! We kunnen dit onzinnige onderwerp maar beter laten rusten en het over iets anders hebben.' Door Evelien een vraag te stellen, voegde ze de daad bij het woord: 'Heb je al iets op je laatste sollicitatie gehoord?'

Evelien lachte: 'Slimmerik!' Vervolgens schudde ze ietwat mistroostig haar hoofd. 'Nee, niets. Zelfs geen bedankbriefje voor de moeite die ik nam om hun te laten weten dat ik mijn energie dolgraag in hun bedrijf zou willen steken. Maar het is niet de eerste keer dat ik geen reactie krijg, het gebeurt stelselmatig. Je zou haast gaan denken dat het zo hoort, ik blijf het echter onfatsoenlijk vinden. Zo ga je niet met mensen om. Maar al met al blijf ik thuiszitten duimen te draaien en dat hangt me inmiddels meters de keel uit. Het is toch werkelijk te zot voor woorden dat ik almaar geen werk kan vinden terwijl ik nog maar eenendertig ben? Het moet niet lang meer duren, dan volg ik het advies van mijn vader op en ga ik bij hem op de boerderij werken.'

Ze lachte vermaakt toen ze erachteraan zei: 'Je hoeft niet meteen zo verschrikt te kijken, hoor! Het zijn enkel loze woorden, in werkelijkheid peins ik er niet over om varkens te voeren en hun stinkende hokken schoon te spuiten. Ik dwing me zelf ertoe erin te blijven geloven dat ik vandaag of morgen een mooie baan krijg aangeboden. Tot zolang blijf ik in mijn flatje bezig met poetsen en boenen. Ik word echt een mietje, uit pure verveling maak ik aldoor schoon wat niet smerig is.'

Evelien lachte erom. Tica was de ernst zelve toen ze zei: 'Je hebt mij al een paar keer om de sleutel van mijn huis gevraagd en als ik dan vanuit school thuiskwam, blonk alles me tegemoet. Dat is erg lief van je, maar zo zou het eigenlijk niet moeten. Ik heb met je te doen, maar ben er weleens een beetje jaloers op dat jouw ouders zo lekker dicht in de buurt wonen. Hoelang is het rijden van de stad naar het dorp waar je vader een varkensmesterij runt? Hooguit drie kwartier?'

'Ja, dan is het wel bekeken.' Dat Evelien haar vriendin door en door kende liet ze blijken door vast te stellen: 'Jij bent niet jalóers op mij, zo ben je niet, je zei het omdat je weer eens heimwee hebt naar je eigen ouders. Heb ik het mis?'

'Ik heb vannacht slecht geslapen omdat ik vooral mijn moeder heel erg miste. Dat heb ik bij vlagen, het gaat ook altijd weer over. Wat dat betreft hoef jij je om mij geen zorgen te maken, Tica Westerhout slaat zich er heus wel doorheen!'

Nadat ze nog verschillende andere onderwerpen hadden belicht, zei Evelien: 'Ik ga vanavond met een vroegere collega naar de schouwburg en daarna gaan we gezellig stappen. Anita is een leuke meid en ze zal er absoluut geen bezwaar tegen hebben als jij met ons meegaat. De voorstelling is niet uitverkocht, dus wat let je?'

'Ik zou er volmondig ja op zeggen,' bekende Tica, 'maar ik heb Felix beloofd dat ik vanavond een poosje bij hem zou komen. En aangezien ik niet op twee plekken tegelijk kan zijn moet ik jouw aanbod helaas afslaan.'

'Dat helaas kun je maar beter achterwege laten, zeg maar gewoon eerlijk dat je liever naar hém toegaat!'

'Tjonge, nu begint ze er wéér over,' verzuchtte Tica theatraal. Ze keek Evelien indringend aan toen ze eraan toevoegde: 'Ik wil een deal met je sluiten! Als jij vanavond je best doet om een leuke vent aan de haak te slaan, zal ik proberen of ik iets bij Felix kan bereiken. Nou!?'

Evelien trok een gezicht. 'Ik zie het al gebeuren dat ik een vreemde vent een knipoog geef! Ik moet er niet aan denken, ik kan trouwens niet eens flirten. Anita beweert dat ik in het bijzijn van mannen een bepaalde, afwerende houding aanneem die hen afschrikt waardoor ze me niet durven benaderen. Daar heb ik zelf geen idee van, maar ik vind de gang van zaken prima. Ik heb er geen last van, of misschien wacht ik wel op de prins op het witte paard. Nou, zoals je weet, bestaan die niet en zal ik dus lang moeten wachten.'

'Dan kan ik je een hand geven, want ik denk er net zo over. Het is maar goed dat we het daarnet niet op een akkoordje heb ben gegooid, want nu hoef ik me straks bij Felix niet te gaan aanstellen.'

Ze hielden het thema mannen nog even vast en door expres de gekste beelden op te roepen, hadden ze de grootste lol. Het liep tegen vijf uur toen Evelien plannen maakte om op te stappen. 'Ik wil me nog even op mijn gemakje douchen, omkleden en mooi optutten en dan maar afwachten wat er vanavond op mijn pad komt.'

Door dat laatste kreeg Tica de indruk dat Evelien toch stilletjes ergens op hoopte. Ze dacht erover na toen ze weer alleen was en ze in de badkamer haar make-up wat bijwerkte. Het is toch wel merkwaardig, bedacht ze, dat Evelien nog steeds alleen is. Ze is lief, leuk en aardig en ziet er goed uit. Daar kan het dus niet aan liggen. Evelien was klein van stuk en een tikkeltje aan de mollige kant waardoor ze, haast altijd vergeefs, aan het lijnen was. Als ze er dan weer geen pondje af, maar bij had gekregen, straalden haar opvallende, lichtbruine ogen hevige teleurstelling uit. Malle Evelien, neem jezelf zoals je bent!

Dat kun je gemakkelijk over een ander zeggen, bedacht Tica, maar hoe vaak stond ze zichzelf kritisch voor de spiegel te bekijken? Volgens haar was geen vrouw honderd procent tevreden over haar uiterlijk. Zij was een van hen. Ze haalde er laconiek haar schouders over op en lachend in zichzelf dacht ze aan Felix. Ik stap zo dadelijk in mijn auto en kom naar je toe. Echter niet om je te versieren, dat ligt niet in mijn aard. En bovendien zou jij dan de ware Jacob voor me moeten zijn en dát zie ik al helemaal niet zitten!

Felix begroette haar met een brede lach en een zoen op haar beide wangen. 'Kom gauw binnen, je bent lekker vroeg!'

Tica deed haar jas uit die Felix voor haar aan de kapstok hing en onderwijl hielp ze hem herinneren: 'Ik had Davina immers beloofd dat ik er vroeg zou zijn, zodat wij, voordat zij naar bed moet, nog een potje monopoly zouden kunnen spelen. En daar heb ik zin in!' Ze trok een lelijk gezicht, maar in de huiskamer kreeg Davina een stralende lach van haar. 'Ik zie dat je op me zit te wachten, het spel ligt al kant en klaar op de tafel, we kunnen meteen beginnen!'

'Moet je dan niet eerst een kop koffie?' vroeg Felix.

Tica knikte. 'Zet de mok hier maar naast me neer, Davina en ik kunnen echt niet langer wachten. Toch?'

'Nee, want het duurde vreselijk lang voordat juf kwam.' Hierna verdiepte ze zich in haar geliefde spel en ondertussen bedacht Tica dat ze Felix het nieuws over Suze zou vertellen als Davina in bed lag. Als het meisje het moest weten, was het aan Felix om het haar te zeggen, niet aan haar.

Felix zat in zijn stoel voor de televisie te wachten tot het spel gespeeld was. Hij wist dat hij niet op het juichkreetje van Davina 'ik heb wéér gewonnen' hoefde te wachten. Hij liet Davina altijd met opzet winnen, Tica vond dat het spel eerlijk gespeeld moest worden en dat een kind moest leren ook tegen zijn verlies te kunnen. Een wijze les van een schooljuf! De lach die er door dit denken op zijn gezicht verscheen, verdween spoorslags toen hij het tafereeltje aan de eethoek gadesloeg en het door hem heen schoot: mijn dochter heeft bij haar moeder meer gemist dan een gezond denkend mens voor mogelijk houdt. Hij vond het bijzonder lief van Tica dat zij haar tegenzin voor het spel overwon louter om Davina een pleziertje te bezorgen. Ze was een vrouw die zich omwille van een kind wist weg te cijferen. 'Juf' Tica, ze was gaandeweg voor hem een lieve vriendin geworden. Soms vroeg hij zich hoe het zou zijn om verliefd op haar te zijn, tegelijkertijd verbood hij zichzelf dergelijke denkbeelden. Hij was een man met een verleden. Waar zij weliswaar alles van af wist, maar een jonge vrouw als zij zou er niet over peinzen om meer dan vriendschapsbanden met hem aan te knopen. En ik, vroeg Felix zich af, wil ik überhaupt weer een vrouw in mijn leven? Hij had er zijn twijfels over, desondanks waren er momenten waarin hij ernaar verlangde om een paar lieve armen om zich heen te voelen. Een vrouwenmond die hem hartstochtelijk kuste en hem daarmee uitnodigde voor meer. Het was de normale gang van zaken, voor een man zonder verleden, wel te verstaan. Door met de verkeerde vrouw te trouwen, had hij zijn kansen op geluk verspeeld. Het was ronduit jammer dat spijt altijd te laat kwam.

Felix mijmerde ongestoord verder over wat geweest was en voor hem niet meer komen kon. Op een gegeven moment werd hij in de realiteit teruggeroepen door wel degelijk een juichkreet van Davina: 'Ik heb gewonnen! Eindelijk, eindelijk, heb ik een keer van juf gewonnen. Daar ben ik zó blij mee!'

Tica verzuchtte quasi-theatraal: 'Ik heb een zware nederlaag geleden, hoe kom ik hier overheen. Jij was me ditmaal te slim af, gefeliciteerd! Maar denk erom dat ik de volgende keer beter mijn best zal doen! Ik denk dat jij nu naar bed moet, normaal gesproken zou je er al inliggen. Want kijk maar op de klok, we hebben er anderhalf uur over gedaan!'

Davina trok een pruillip en sputterde tegen. 'Ik heb nog helemaal geen slaap, het is juist zo gezellig als juf bij ons is. Mag ik nog een poosje opblijven, pappa, vijf minuutjes maar?'

Felix schudde beslist zijn hoofd. 'Vijf minuten worden er tien, enzovoort. Niks ervan, jongedame, jij gaat nu naar bed! Je mag kiezen of ík je onderstop of juf Tica.'

Hij wist bij voorbaat op wie haar keus zou vallen en pal erop kreeg hij van zijn dochter een dikke pakkerd, waarna ze aan de hand van Tica de huiskamer verliet.

Zij was amper weer beneden en bezig hun koffiemokken nog eens te vullen, toen de bel van de voordeur overging. 'Ik meende al aan de koplichten van een auto te zien dat die bij mij de oprit opreed,' zei Felix, 'maar wie het op dit uur van de zaterdagavond kan zijn is voor mij een raadsel.' Al pratende was hij het vertrek uitgelopen, nu opende hij de deur en keek hij in het gezicht van zijn zus. 'Joosje..?' In één oogopslag zag hij dat ze er vertrokken uitzag en dat ze het ergens moeilijk mee had. En misschien omdat ze alleen was, het kon echter ook een ingeving zijn, vroeg hij: 'Er is toch hopelijk niets met Giel?'

Joosje knikte en toonloos murmelde ze: 'Ik vertel het zo dadelijk, 'k moet even bijkomen van de schrik...'

In de huiskamer zond ze Tica een mat lachje. 'Ik had het zo half en half al verwacht dat jij er zou zijn. Leuk.' Ze liet zich neerzakken op de bank en sloeg haar ogen hopeloos verloren op naar Felix. 'Giel heeft een hartinfarct gehad, ik kom net van het ziekenhuis...'

'Ach, meisje toch!' Felix schrok zich te pletter, hij moest naar adem happen voordat hij verder kon gaan. 'Is het erg? Ja, natuurlijk is het erg,' corrigeerde hij zichzelf kregelig, 'ik bedoel, ik hoop dat het niet levensbedreigend is?'

'Daar is momenteel nog geen zinnig woord over te zeggen. Mag ik een glas wijn in plaats van koffie?' vroeg Joosje aan Tica toen deze een mok koffie voor haar neerzette. Tica haastte zich aan de vraag te voldoen en Felix ging naast zijn zus op de bank zitten. In een beschermend gebaar sloeg hij een arm om haar heen en trok haar tegen zich aan. Aangedaan zei hij: 'Kom maar dichtbij mij, dan voel je tenminste dat je er niet alleen voor staat. Gaat het weer een beetje, kun je me vertellen wat er is gebeurd?'

'Het gebeurde vanavond na het eten. Tot dan toe was er niets met Giel aan de hand. Het eten smaakte hem zelfs goed. Ik had afgeruimd, de boel in de vaatwasser gezet en toen ik in de huiskamer terugkwam, zei Giel dat hij zich opeens niet goed voelde. En terwijl hij dat zei, greep hij naar zijn borst en zei hij dat ik het alarmnummer moest bellen. 'Dit is niet normaal meer, de pijn is niet te harden. Het is mijn hart, dat voel ik...' Dat stamelde hij nog, daarna kon hij niets meer zeggen. Hij zag lijkbleek en was werkelijk in een ommezien kletsnat van het zweet. Alles verliep vervolgens in een roes. Opeens stond de ambulance voor de deur en werd Giel daar ingedragen. Ik ben er in onze eigen auto achteraan gereden en dat ik heelhuids in de stad ben aangekomen is voor mij een wonder. Want ik was helemaal versuft, van schrik en emoties kon ik niet helder denken...'

Joosje zweeg, Felix streek troostend over haar haar. 'Het was inderdaad onverantwoord wat jij deed. Je had mij meteen moeten bellen toen Giel niet goed werd, dan was ik gekomen en had ik me in ieder geval om jou kunnen bekommeren.'

'Dat zou heerlijk zijn geweest,' moest Joosje toegeven, 'maar er zou teveel tijd mee heen zijn gegaan. Eer jij in het dorp zou zijn geweest... Er was gewoon geen tijd om jou te roepen, elke minuut was kostbaar en er moest zo snel mogelijk gehandeld worden. Ik voel dat ik nu weer een beetje bijkom. Zou dat komen omdat het me goed doet er met jou over te kunnen praten, of zou een enkel wijntje zo kalmerend op mijn zenuwen werken?'

'Je krijgt er zo dadelijk nog een,' beloofde Felix, 'want je hoeft niet meer te rijden. Je blijft hier overnachten, dan weet ik tenminste dat er niets met jou kan gebeuren. Of kun je niet hier blijven in verband met een telefoontje dat je mogelijk vanuit het ziekenhuis kunt verwachten? In dat geval breng ik je naar het dorp terug.'

'Je bent een lieverd, maar je moet nu niet net doen alsof ik doodziek en hulpbehoevend ben. Ik ben verschrikkelijk geschrokken en natuurlijk zit ik tjokvol zorgen om Giel, maar dat wil niet zeggen dat ik er meteen onderdoor zal gaan! Maar om op de telefoon terug te komen: het is waar, men heeft beloofd dat ik een telefoontje zou krijgen als de toestand van Giel onverhoopt mocht verslechteren. Ik moest twee nummers opgeven, behalve die van onszelf hebben ze die van jou genoteerd. Maar ik zal een eventueel telefoontje vanuit het ziekenhuis niet mislopen, ik heb mijn mobieltje altijd bij me.' Ze nipte van haar wijn, waarna ze zacht en met vochtige ogen zei: 'Het was allemaal heel naar, net een nachtmerrie. Giel werd meteen door een paar klapdeuren weggevoerd, ik mocht niet mee. En terwijl ik daar verdwaasd stond, hoorde ik iemand paniekerig zeggen dat de cardioloog moest worden opgeroepen. Die was op zaterdagavond vermoedelijk niet in het ziekenhuis aanwezig.

Er kwam een verpleegkundige naar me toe en aan haar heb ik gevraagd of ik mocht blijven wachten en of ik nog even bij mijn man mocht. Zij zei dat dat niet mogelijk was, dat ze met Giel bezig waren en dat ik maar beter naar huis kon gaan. "U mag ons bellen zo vaak u wilt en morgen mag u uw man komen bezoeken. Maar nu moet ik u dringend adviseren naar huis te gaan, u kunt hier vannacht echt niet blijven." Dat begreep ik wel,' verzuchtte Joosje, 'maar het viel me enorm moeilijk hem daar te moeten achterlaten. Stel dat hem het allerergste overkomt... dan ben ik niet bij hem.' Ze drukte zich tegen Felix aan en huilde geluidloos.

Tica had zich de hele tijd afzijdig gehouden, ze raakte hevig ontroerd toen ze zag met hoeveel liefde Felix zijn zus probeerde te troosten. Hij is gewoon een schat van een man, vond ze en die mening werd versterkt toen ze Felix hoorde zeggen: 'Ja, huil maar, dat is alleen maar goed voor je. Al die emoties moeten er uitgewerkt worden. Maar je mag niet meteen aan het ergste denken, Giel is in goede handen. Hij is een oersterke kerel, ik durf te voorspellen dat hij er snel weer bovenop zal komen!' Wat zit ik te bluffen, flitste het door Felix heen, maar ik moet toch íets zeggen om haar moed in te spreken. Op dat moment schoot het hem te binnen waarmee hij haar daadwerkelijk moed en hoop zou kunnen geven. Hij hoorde niet dat zijn eigen stem opeens minder bezorgd klonk dan daarnet toen hij overtuigend tegen Joosje zei: 'Giel moet het even zonder jou stellen, maar dat weet God en daarom zal Hij bij Giel zijn. Had je daar al aan gedacht, zusje van me?'

Joosje had zich weer wat hersteld, er lag nog slechts een verdwaald snikje in haar stem toen ze haar gezicht naar Felix ophief. 'Ik heb van mijn leven nog nooit zoveel gebeden als in de achterliggende uren. Je hebt gelijk, Felix, Giel is daar niet alleen, hij wordt er voortdurend beschermd en bewaakt.'

'Goed zo, zo ken ik mijn dappere zusje weer,' prees Felix. Tica vroeg hem: 'Ik heb het glas van Joosje bijgeschonken, maar volgens mij zou een drankje jou ook geen kwaad doen?' Ze wachtte zijn antwoord niet af en stond op.

Toen ze alleen een glas wijn voor Felix neerzette sloeg hij een verbaasde blik naar haar op. 'Wat is dit, doe je niet met ons mee?'

'Nee, ik moet immers nog rijden! Ik denk trouwens dat ik moet opstappen, ik had jullie al veel eerder alleen moeten laten.'

'Hoe kom je dáár nou bij!' Joosje keek haar ietwat bestraffend aan. 'Jij zit ons zeker niet in de weg! Het ligt aan mij, ik moet niet langer over Giel klagen, maar mijn best doen wat gezelliger te zijn.' Op hetzelfde ogenblik vulden haar ogen zich met schrik die in haar stem weerklonk. 'Ik bedenk nu pas dat er nóg een zorg op me afkomt die me belet gezellig te kunnen zijn...' Ze sloeg haar ogen op naar Felix en met een ontredderde blik zei ze: 'Ik zal de komende tijd niet voor Davina kunnen zorgen! Giel zal mij 's middags en 's avonds in het ziekenhuis verwachten. Ik mag hem niet teleurstellen en mezelf ook niet. Ik moet en wil bij Giel kunnen zijn zo vaak als zal worden toegestaan. Lieve help, hoe moeten we dit probleem nou oplossen...'

'Dat weet ik zo in de gauwigheid ook niet,' bekende Felix. 'Net als jij heb ik hier nog geen moment bij stilgestaan. En dat komt louter en alleen vanwege het feit dat Giel momenteel vóór alles gaat! En daarom, Joosje, mag jij je geen zorgen om mij of Davina maken, jij hebt nu wel genoeg aan je hoofd, dacht ik zo!'

Zij knikte instemmend en in de stilte die er viel, vroeg Tica zich koortsachtig af of zíj Davina niet zou kunnen opvangen. Ze zou niets liever willen dan Felix te hulp schieten. Nadat zij hierover na had gedacht, kwam ze tot de conclusie dat willen en kunnen twee verschillende factoren zijn. Het kostte haar de nodige moeite om tegen Felix te zeggen: 'Ik zou Davina onder mijn hoede willen nemen, maar de manier waarop ik het zou kunnen doen is allesbehalve optimaal. Als de kinderen na schooltijd naar huis gaan, heb ik nog van alles te doen. Een vergadering, een bespreking, werk nakijken of voorbereiden en zo kan ik nog even doorgaan. Het komt erop neer dat ik er niet naar behoren voor Davina zal kunnen zijn. Jij hebt, net zoals Joosje dat deed, een vrouw nodig die na schooltijd thuis op Davina zit te wachten. Een vervangende moederfiguur, zal ik maar zeggen. Zo is het toch?'

Dat kon Felix enkel beamen. Hij voegde er vragend aan toe: 'Maar waar vind je zo iemand? Voor een advertentie plaatsen is het al te laat. Ik heb maandagochtend al iemand nodig en ik kan het me niet veroorloven om op sollicitanten te gaan zitten wachten.'

Door het woord 'sollicitanten' kreeg Tica een ingeving die haar blozend van opwinding deed zeggen: 'Ik mag niet voor mijn beurt spreken, maar ik weet heel misschien wel iemand voor je! Mijn vriendin Evelien kennen jullie uit mijn verhalen. En zo is het jullie ook bekend dat zij momenteel geen baan heeft. Ze solliciteert zich letterlijk suf, maar verder zit ze zich thuis stierlijk te vervelen. Ik ken haar en weet haast wel zeker dat ze jou graag zal willen helpen!'

'Dat zou mooi zijn,' zei Felix nadenkend, 'maar hoe krijg ik er zekerheid over? Want nogmaals, de tijd dringt!'

Daarop knikte Tica begrijpend. 'Normaal zou ik haar meteen bellen, maar ze is vanavond niet thuis. Het wordt dus morgenochtend voordat ik met haar kan overleggen. Nou, stel dat ik gelijk krijg en dat ze er niet afwijzend tegenover zal staan, dan lijkt het mij het beste dat wij morgenochtend samen bij je langs komen. Ik wil eerst naar de kerk, maar daarna zou Evelien met jou en Davina kunnen kennismaken. Spreekt dit voorstel je aan?'

'Ja, wat dacht je! Het is voor mij vanzelfsprekend haast te mooi om waar te zijn.'

Dat Tica ondertussen haar hersenen was blijven gebruiken, bleek toen ze bedisselde: 'Als Evelien en ik hier morgen dan toch zijn, blijven we tussen de middag een broodje mee-eten en dan kunnen jij en Joosje daarna samen bij Giel op bezoek gaan en passen wij op Davina. Dan is er gelijk weer een probleem opgelost. Toch?'

Ze keek Felix verwachtingsvol aan en toen hij uit de grond van zijn hart spontaan zei: 'Je bent een schat!' had Joosje niet in de gaten dat zij heel even vragend haar wenkbrauwen optrok.

Kort hierna nam Tica afscheid en dat ze niet aan Felix had verteld dat Suze was hertrouwd, was van haar kant geen vergeetachtigheid geweest. Ze had het bewust verzwegen omdat ze vond dat hij en zijn zus voorlopig genoeg aan hun hoofd hadden.

Na haar vertrek kon het niet uitblijven dat Giel weer het onderwerp van gesprek werd tussen Felix en Joosje. Op een gegeven moment verzuchtte zij somber: 'Mijn leven zou volledig instorten als ik Giel zou moeten verliezen. Als alles normaal is, sta je er niet continu bij stil hoeveel de ander voor je betekent. Maar nu voel ik in elke vezel van mijn lichaam dat Giel als het ware een deel van me is. En dat ik het zonder hem niet kan stellen omdat ik waarschijnlijk te veel van hem hou...'

'Jullie zijn gewoon een twee-eenheid,' oordeelde Felix. 'Zo zien niet alle huwelijken eruit, maar jou gun ik dit goede.'

Daarop verzuchtte Joosje: 'Ik wou dat jij weer gelukkig werd, Felix. Je komt nu zoveel tekort.'

Hij glimlachte. 'Dat kan ik niet ontkennen, maar het is deels mijn eigen schuld. Daar blijf ik bij, maar daar hebben we het nu niet over!'

'Zoals je wilt. Ik ben benieuwd naar de vriendin van Tica, Evelien. Hoe zou ze zijn?'

Felix haalde zijn schouders op. 'Geen idee! Dat zien we morgen wel en het moet op het eerste gezicht wel een heel onmogelijk mens zijn wil ik 'nee' tegen haar zeggen. Ik heb haar broodnodig, maar het is gelukkig maar voor tijdelijk! Ik ga ervan uit dat Giel binnen afzienbare tijd weer de oude zal zijn en dat ik dan weer een beroep op jou zal mogen doen.'

'Dat hoop ik ook,' zei Joosje zacht. Ze verzweeg wijselijk dat ze erachteraan dacht: Het gaf zoveel voldoening voor Davina te mogen zorgen. Ik zou van een eigen kind niet meer kunnen houden. Ze is voor mijn gevoel ook een beetje van mij. Want als zij bij me is, doet het altijd sluimerende gemis in mij geen pijn.

De volgende ochtend was Felix, aangekleed en wel, als eerste beneden. Hij zat achter een tweede kop thee toen de telefoon overging. Het bleek Tica te zijn. 'Je bent gelukkig al op, ik was bang dat ik te vroeg zou bellen. Ik wil je even zeggen dat je Evelien en mij tegen de middag kunt verwachten, ze staat er in eerste instantie niet afwijzend tegenover. Is dat geen goed nieuws?'

'Het kan niet beter, fijn dat je het van te voren even komt melden, nu kan ik me op haar komst voorbereiden. Dan zie ik jullie wel verschijnen...'

Hier onderbrak Tica hem gehaast. 'Nee, wacht, hang niet meteen op. Ik moet nog iets aan je kwijt. Ik had het je gisteravond willen vertellen, maar toen dat erge van Giel ertussen kwam, heb ik er bewust even mee gewacht.' Hierna vertelde ze aan Felix wat zij van Manon had gehoord. Toen ze was uitgepraat en het stil bleef aan de andere kant van de lijn, zei ze begripvol: 'Ik overval je ermee. Was het je liever geweest, Felix, als ik het voor je had verzwegen..?'

'Nee, zeker niet, maar ik hoor er vanzelfsprekend wel van op.

Bedankt voor de informatie, over een paar uurtjes zien we elkaar. Tot dan!'

Felix verbrak de verbinding en zonder het te weten of te willen, mompelde hij hardop: 'Suze is dus hertrouwd... Nou ja, het zat eraan te komen.' Waarom schrik ik er dan zo van? vroeg hij zich af. Of was het geen schrik, maar jaloersheid dat zij de liefde wél weer durfde toelaten in haar leven en hij niet? Nadat hij hierover na had gedacht, schudde hij zijn hoofd. Nee, ik ben niet jaloers op haar, als er één is die haar het geluk gunt, ben ik het wel. Hij schrok van het nieuws omdat hij aanvoelde, vreesde, dat Suze zich in Sjef de Noord vergiste. Hij had er geen verklaring voor, maar desondanks zou hij zijn hand ervoor in het vuur durven steken. Arme Suze, hij had vroeger veel beter op haar moeten passen, hij had immers altijd al geweten dat ze dat zelf niet kon.

Felix peinsde ongestoord verder over zijn falen jegens Suze, zoals hij dat in schuldgevoel hardnekkig bleef noemen, totdat de deur openging en Davina in haar pyjama binnenkwam. Nog een beetje slaapdronken kroop ze als een aanhalig katje bij hem op schoot. 'Ik heb zin in een beschuitje met jam. Twee misschien wel.'

Felix drukte vertederd een kus in haar warme nekje. 'Toe maar, alsof het niet op kan! Je eet me de oren zowat van het hoofd, wist je dat?' Hij dempte zijn stem om de spanning te verhogen toen hij geheimzinnig verderging: 'Ik heb een verrassing voor je! Ga maar eens in de logeerkamer kijken en maak degene die daar ligt te slapen maar snel wakker!'

Davina hoefde haar hersentjes maar heel even te slijpen, voordat ze gedecideerd zei: 'Het is geen verrassing, ik weet het allang! Juf Tica heeft bij ons geslapen!'

'Ik verklap niks, ga maar gauw zelf kijken. Dan maak ik ondertussen je beschuitjes klaar.'

Davina haastte zich naar boven en toen ze nieuwsgierig om het hoekje van de logeerkamerdeur keek, was ze niet teleurgesteld, maar zei ze verheugd tegen Joosje die net wakker was geworden en nu rechtop ging zitten: 'Tante Joosje! Wat fijn dat jij bij ons logeert! Maar vindt oom Giel dat wel goed, is hij nu niet zielig, zo helemaal alleen thuis?' Al pratende was ze op het bed toegelopen en aanhankelijk als ze was, schoof ze dicht tegen Joosje aan onder het dekbed. Joosje legde een arm om het meisje heen en trok haar tegen zich aan. Ze wilde haar emoties voor het kind verborgen houden, maar desondanks lag er een verdacht bevinkje in haar stem. 'Ik moet je iets vertellen wat helemaal niet leuk is. Oom Giel is namelijk níet alleen thuis, hij is gisteravond naar het ziekenhuis gebracht. Zijn hart is een beetje ziek en dat probeert een hele knappe dokter nu beter te maken.'

Davina sloeg haar donkere ogen op naar Joosje, er lag een bange blik in toen ze opperde: 'Maar als dat mislukt, gaat oom Giel misschien wel dood! De opa van een jongen uit mijn klas is laatst ook doodgegaan en toen was Erwin heel erg verdrietig. Hij moest steeds zomaar huilen. Oom Giel mag niet doodgaan... dat wil ik niet.'

Het deed Joosje meer dan goed dat ze haar lieveling gerust kon stellen. 'Gisteravond, voordat pappa en ik naar bed gingen, heb ik naar het ziekenhuis gebeld en werd mij gezegd dat oom Giel rustig lag te slapen. Zijn toestand was niet alarmerend en dat betekent dat wij niet aan dat hele erge hoeven te denken. Is dat niet geweldig fijn?'

Davina maakte een hoofdknikje en met een te ernstig snoetje opperde ze: 'Maar ik denk dat oom Giel nu geen grapjes tegen mij zal maken...'

'Als hij weer een beetje is opgeknapt, mag jij met me mee naar het ziekenhuis en dan durf ik te wedden dat oom Giel jou weer net als anders aan het lachen zal maken!' Joosje had er geen idee van hoeveel moed zij zich hier zelf mee insprak. Na een zuchtje uit een te vol hart praatte ze verder. 'Je begrijpt wel dat tante Joosje de komende tijd zoveel mogelijk bij oom Giel wil zijn. En omdat ik niet op twee plaatsen tegelijk kan zijn, zal ik een poosje niet voor jou kunnen zorgen.'

Voordat ze nog een woord kon zeggen, werd ze door Davina onderbroken. 'Het is niet zo heel erg dat jij niet bij ons kunt komen, want dan ga ik gewoon met jou mee naar oom Giel. Als ik tegen juf Tica zeg waarom ik niet op school kan komen, vindt zij dat wel goed.'

'Het is slim van je bedacht, maar zo doen we het niet. Jij moet naar school, anders zou je een dom meisje worden en dat willen we niet! Juf Tica heeft een vriendin, zij heet Evelien, en misschien wil zij zolang op jou komen passen. Zou je dat willen?'

Davina trok met haar schouders en nadat ze er nog even over na had gedacht, blikte ze Joosje opnieuw bezorgd aan. 'En als die Evelien nou, net als mamma, helemaal niet aardig en lief is, wat dan?'

Net als mamma... Die drie afschuwelijk zwaar beladen woordjes troffen Joosje pijnlijk. Ze moest dan ook het een en ander overwinnen voordat ze een lach in haar stem kon leggen. 'Malle meid, denk nou eens even na! Je gelooft toch niet dat jouw juf een vriendin zou willen hebben die niet lief en aardig is? Misschien is ze zelfs nog liever dan juf Tica, maar dat merk je snel genoeg, want jouw juf en haar vriendin komen na de kerk bij ons koffiedrinken. En als jij haar dan tegen je verwachting in wél leuk en aardig vindt, kun je dat niet hardop zeggen en daarom moet je je mij dan een knipoogje geven. Dan weet ik wat je bedoelt, begrijp je?'

'Ja, leuk, want nu hebben wij een geheimpje. Dat vind ik spannend!'

Ik vind het spannend wat ik zo dadelijk door de telefoon te horen krijg, dacht Joosje. En gejaagd vanwege dit denken, zei ze tegen Davina: 'Ga jij maar vast naar beneden, ik moet even een telefoontje plegen en dan kom ik achter je aan.'

Kort na Davina verscheen Joosje bij Felix in de huiskamer en op zijn bezorgde vraag 'Ik hoop dat je een beetje hebt kunnen slapen?' antwoordde zij: 'Ik heb zojuist met het ziekenhuis gebeld en zodoende weet ik dat Giel een rustige nacht heeft gehad. Hij ligt op de intensive care, de broeder met wie ik sprak, noemde Giels toestand redelijk. Ik weet dat het vaag klinkt, toch put ik er voor mezelf hoop uit. Ik wou dat het middag was, dan kon ik naar hem toe en met eigen ogen zien hoe hij eraantoe is. Want ik ken hem, 'k weet dat hij er zijn best voor zal doen, maar mij leidt hij niet om de tuin!' besloot ze vastberaden.

Felix moest erom lachen en wijzend op de klok attendeerde hij haar erop dat ze nog wat geduld zou moeten hebben. Dat geldt ook voor mezelf, dacht hij erachteraan. Vanzelfsprekend wilde hij ook zo gauw mogelijk zien hoe zijn zwager het maakte, maar tegelijkertijd was hij ook zeer benieuwd naar een jonge vrouw met de naam Evelien Veldhuis. Hij had haar nodig voor zijn dochter, er was echter nog geen overeenkomst gesloten en dat maakte hem onzeker. Want wat moest hij beginnen als zij er onverhoopt toch van af zou zien omdat ze het niet eens zouden kunnen worden? Jawel, dan zou hij zelf thuis moeten blijven, maar dat vooruitzicht lokte hem allerminst.

Geduld is een schone zaak, wordt er beweerd, maar eindelijk klonk dan toch het geluid van de bel van de voordeur door het huis. Joosje stond op om open te doen, zij maakte in de hal kennis met Evelien nadat ze Tica met een kus op beide wangen had begroet. In de huiskamer gebeurde hetzelfde; Tica werd eerst hartelijk door Felix begroet, daarna stak hij zijn hand uit naar Evelien waar zij die van haar inlegde. 'Ik ben Evelien, maar dat had je al in de gaten,' lachte ze.

'Als ik je zo mag noemen ben ik voor jou Felix!' lachte hij, net als zij.

Daarop bedisselde Joosje: 'Nou, gaan jullie er gezellig bij zitten dan haal ik koffie!'

Tica deed wat Joosje adviseerde, Evelien niet. Zij liep op Davina toe die ietwat verlegen tegen Felix' stoel leunde. 'Jouw tante vergeet dat ik jou nog een hand moet geven! Ik heb al veel over je gehoord en zodoende weet ik dat jij niet alleen een lief, maar ook een leuk en grappig meisje bent. En daar hou ik van, want het betekent dat wij dan samen best weleens veel lol zouden kunnen maken!'

Ze liet Davina's hand los, streek het meisje terloops over het donkere haar, waarna ze op de bank naast Tica plaatsnam en zich tot Felix richtte. 'Tica heeft me verteld waarom jij dringend om hulp verlegen zit. In principe zou ik je met alle plezier willen helpen, maar ik kan je geen garantie geven. Daar bedoel ik mee dat als ik ergens een geschikte baan krijg aangeboden, ik die met beide handen zal moeten vastgrijpen. Dan zal het me spijten, maar zal ik je niet langer kunnen helpen. Ik hoop dat je hier begrip voor kunt opbrengen?'

'Het is maar voor tijdelijk,' legde Felix ten overvloede uit. 'Joosje en ik hopen dat Giel er snel weer bovenop zal komen. Ik weet van Tica dat jij al "eeuwen" aan het solliciteren bent, het zou toch wel frappant zijn als jij nu opeens op stel en sprong ergens aan de slag zou kunnen. Het is niet mijn bedoeling jou hiermee te ontmoedigen, ik sprak er louter mijn eigen hoop mee uit.'

'Ja, dat begrijp ik,' zei Evelien, 'eenieder veegt nu eenmaal het liefst eerst zijn eigen straatje schoon. Ik moest je er echter op wijzen, want de mogelijkheid dat ik eens het geluk zal hebben om weer lekker aan de slag te kunnen, bestaat, want ik heb nog twee sollicitaties lopen. Tot zolang wil ik je graag mijn diensten aanbieden.'

Toen ze vanuit haar ooghoeken zag dat het net leek alsof Davina haar onafgebroken zat te keuren, schonk ze het meisje, behalve een lach, een veelzeggend knipoogje. Maar dat kon Davina niet zo snel plaatsen, zij vroeg zich in opperste verbazing af hoe dit nou kon bestaan. Zij moest, zoals afgesproken, tante Joosje immers een knipoog geven en nu kreeg zij er een van Evelien. Als om hulp vragend zocht ze de blik van haar tante en toen die haar ook een snel knipoogje gaf, begreep ze er helemaal niets meer van. Wat moest ze nou doen om tante Joosje te laten merken dat zij Evelien heel erg aardig vond?

Terwijl Davina bedacht dat grote mensen soms heel eigenaardig konden doen, richtte Felix zich weer tot Evelien. 'We zijn het er in ieder geval over eens dat je me komt helpen en dat is voor mij al heel wat! We kunnen van beide kanten geen tijdsduur invullen, maar jij kunt al wel zeggen wat je bij mij wilt gaan verdienen.'

Felix vond dit de normaalste gang van zaken, Evelien schrok er echter van en haastte zich te zeggen: 'Daar heb ik nog geen moment aan gedacht en dat komt louter vanwege het feit dat ik momenteel een uitkering heb waar ik niets bij mag verdienen. Hiermee heb ik je vraag meteen beantwoord: ik kom je helpen als jij je beurs gesloten houdt!'

Felix had het gevoel alsof hij een tik op zijn neus kreeg. 'Kun jij het je indenken, Evelien, dat je me hiermee behoorlijk in verlegenheid brengt?'

Voordat zij haar mond open kon doen, merkte Joosje droog op: 'Je kunt in natura een boel goedmaken, het staat nergens dat het verboden is om haar een lekker geurtje, een nieuw kledingstuk of wat dan ook te geven in ruil voor wat zij voor jou doet.'

Hierop lachte Felix breed. 'Je bent een genie! Hoe vaak heb ik het onderhand al gezegd: als ik jou toch niet had!'

Hier kon Joosje voor haar gevoel maar één ding op zeggen: 'Het is inderdaad een gevleugeld gezegde, dat echter op ons beiden van toepassing is!'

Ondanks hun niet-aflatende zorg om Giel was de sfeer ontspannen en gezellig, en voordat ze er erg in hadden, werd het dan toch tijd om naar het ziekenhuis te gaan.

Op de afdeling waar ze moesten zijn, liepen ze een lange gang door. Felix legde een arm om Joosje heen en keek haar peilend aan. 'Ondanks het hoopvolle telefoontje van vanochtend ben je tot het uiterste gespannen. Heb ik het mis?'

Zij hield zich groot. 'Het valt wel mee, nu jij bij me bent, is het niet half zo beangstigend.' Op hetzelfde moment schoot haar iets te binnen en zei ze, guitig kijkend: 'Als ik jou toch niet had!' Broer en zus wisselden een snelle blik van verstandhouding en begrepen elkaar zonder woorden.

Iets verderop werden ze opgevangen door een verpleegkundige die zich tot Joosje richtte. 'Het gaat boven verwachting verrassend goed met meneer Boelens. Er hoeft geen operatie te worden verricht, maar vanwege het infarct heeft zijn lichaam wel te lijden gehad waardoor hij erg moe is. Uitgeput, mag ik wel zeggen. Hij heeft dan ook veel rust nodig en daarom mag u niet met zijn tweeën, maar om beurten heel even naar hem toe!'

Joosje knikte begrijpend, Felix zei: 'Ga jij maar eerst.'

Joosje liep vlug naar de kamer, en daar, achter een scherm dat om zijn bed stond, zag ze hem: de man die ze boven alles liefhad. Giel merkte haar niet op, hij lag met gesloten ogen. Joosjes gemoed schoot vol toen ze de vele slangen zag waarmee hij met een monitor verbonden was. Arme schat en wat zag hij griezelig bleek. Heel voorzichtig deed ze een paar stapjes naar voren en boog zich over hem heen. Toen ze een vlinderlicht kusje op zijn voorhoofd drukte, sloeg Giel zijn ogen naar haar op. 'Joosje... blij je te zien!'

'Stil maar, zeg maar niets. Je mag je niet onnodig vermoeien. Het is heerlijk even bij je te mogen zijn, meer verlang ik niet.'

Giel moest zich inspannen om te kunnen zeggen: 'Je moet niet zo bang kijken, het komt weer goed met mij. Dat voel ik, dat weet ik...'

Hij sloot zijn ogen en zweeg, Joosje keek vol zorg op hem neer.

Op een gegeven moment sloeg hij zijn ogen weer naar haar op en wenkte haar dichterbij te komen. Joosje boog zich naar hem over en ontroerd luisterde ze naar wat hij zei: 'Als je zo dichtbij de dood hebt gestaan, is God haast tastbaar aanwezig. Dat heb ik ondervonden. En daarom durf ik, mág ik zeggen dat het goed komt. Dat heb ik niet van mezelf... het is tegen me gezegd. Zo voelt het althans.'

Niet eerder had Joosje bij haar man de mysterieus aandoende lach gezien die nu om zijn mond speelde en in zijn vermoeid staande ogen weerkaatste. In plaats van zich erover te verbazen, dankte ze er in stilte voor.

9

GIEL HAD ACHT DAGEN IN HET ZIEKENHUIS GELEGEN TOEN HIJ WEER naar huis mocht. Hij moest uiteraard regelmatig voor controle terugkomen en hij had de boodschap meegekregen dat hij het voorlopig heel kalm aan moest doen. Die raadgeving had hij niet in de wind geslagen, integendeel volgde hij het advies trouw op. Twee maanden na het infarct had zijn arts, tijdens een controlebezoek, tegen Giel gezegd dat hij weer voor halve dagen mocht gaan werken. 'Ik zou in uw geval voor de middag kiezen, dan kunt u 's morgens eerst uitslapen en langzaamaan op gang komen.'

Giel had beloofd dat zeker te zullen doen, thuisgekomen had hij het goede nieuws aan Joosje verteld en erachteraan gezegd: 'Wat mij betreft kun jij weer moedertje gaan spelen over Davina. Ik weet dat je niets liever wilt!'

Daarop had Joosje glimlachend gezegd: 'Het valt me tegen dat je me niet beter kent, want dan zou je weten dat ik er niet over peins om jou 's morgens alleen te laten. Jij denkt dat je weer helemaal de oude bent, maar ik weet wel beter. Ik heb me trouwens al bij de gang van zaken neergelegd, ik vermoed zelfs dat het voor Felix beter is dat ik me uit zijn leven terugtrek. Het kan voor Felix geen kwaad dat Evelien nog een tijdje om hem heen is. Ik hoop tenminste dat hij gaat zien wat ik allang doorheb, namelijk dat Evelien in hem meer ziet dan een man in nood die zij een helpende hand wil bieden. Snap je wat ik hiermee bedoel?'

Giel had geknikt, maar zich stomverbaasd afgevraagd: Felix en Evelien? Niet dat ik er iets op tegen heb, net als Joosje gun ik hem het geluk in de liefde, maar wat dat betreft gaan mijn gedachten eerder uit naar Tica. Nou ja, we zullen afwachten. Het zou niet de eerste keer zijn dat de liefde in een mensenleven voor onverwachte verrassingen zorgt.

En zo bleven ze begaan met Felix, maar al doende namen ze de draad van hun eigen leven weer op. Op aandringen van Joosje ging Giel niet meer met aspirant-kopers op stap, maar bleef hij in de middaguren op kantoor om administratief werk te verrichten. Het deed Giel meer dan goed dat hij zich weer nuttig kon maken en deel kon nemen aan het leven buiten de deur. Joosje, op haar beurt, verzweeg wijselijk voor hem dat haar angst voor wat er zo plotseling gebeuren kon, haar nog niet verlaten wilde. Als Giel bijvoorbeeld opmerkte dat hij moe was en hoofdpijn had, schoot het meteen door haar heen: O nee, alsjeblieft, laat het niet nog eens gebeuren. Het was een ingrijpende gebeurtenis geweest die zij, in tegenstelling tot Giel, niet gemakkelijk van zich af kon zetten. Maar als ze dan bedacht wat Giel, kort na het infarct, in het ziekenhuis tegen haar had gezegd, daalde er toch weer een rustgevend vertrouwen in haar. Soms voor langere, een andere keer voor kortere tijd.

Deze vrijdagavond was Felix niet met zijn zwager bezig, hij kwam in gedachten verzonken uit bij zichzelf: Het is een rare gewaarwording, ik ben het niet meer gewend om moederziel alleen thuis te zijn. Zo'n gewoonte was het dus al geworden dat Evelien er altijd was, dat hij zich nu zonder haar gewoon een beetje in de steek gelaten voelde. In het begin was zij 's avonds weer naar haar flat gegaan, maar na een poosje hadden ze onderling overlegd dat deze gang van zaken voor haar alleen maar lastig en tijdrovend was. Toen had ze haar spullen uit de flat opgehaald en sindsdien sliep zij in de logeerkamer. Het was voor haar gewoon een prettige oplossing en Evelien hoefde niet te weten dat hij er op zijn werk door zijn collega's mee geplaagd werd. Daar moest het tenminste op lijken als er meesmuilend werd gezegd dat hij, Felix, wel wist wat hij deed door zo'n jonge, mooie vrouw voor dag en nacht in huis te nemen. Hij was niet gek, hij kon wel raden wat er achter zijn rug om nog meer over hem werd gefluisterd. En hoe pijnlijk het soms ook was, toch kon hij niet anders doen dan er laconiek zijn schouders over ophalen.

Natuurlijk zag hij zelf ook wel dat Evelien een aantrekkelijke vrouw was, maar hetzelfde kon hij van Tica zeggen. Gelukkig was hij nuchter genoeg om te bedenken dat hij het daarbij moest laten. Hij zou heus niet uitglijden, daar waakte hij voor! Hij was Evelien nog alle dagen dankbaar voor de hulp die zij hem bood, want daar was vooral Davina mee gebaat.

Tussen Evelien en zijn kleine meid klikte het reusachtig, maar goed beschouwd kon je dat geen wonder noemen, glimlachte Felix. Hij zag Evelien als een speels kindvrouwtje, Tica daarentegen als een kordate, doortastende vrouw. Als hij zich in een bui van louter fantasie afvroeg naar wie van de twee zijn voorkeur uitging, zou hij het niet kunnen zeggen. En dat kwam vanzelfsprekend omdat een dergelijke, zotte vraag voor hem niet aan de orde kwam. Hij moest gewoon meer dan tevreden zijn met de onmisbare hulp van Evelien. Hij beleefde er lol aan als hij haar stilletjes observeerde als zij met Davina bezig was. En telkens weer zag hij dan wat zijn hersenen registreerden: dat er een groot en een klein kind aan het dollen en het spelen waren. En dan viel het ook nog moeilijk te zeggen wie van hen beiden het meest genoot. Lieve Evelien.

Omdat hij moest voorkomen dat zij in haar zorg om hem en Davina niet of nauwelijks aan zichzelf toekwam, had hij haar er onlangs op gewezen dat ze moest blijven solliciteren. 'Het is een plicht die jij niet uit het oog mag verliezen,' had hij gezegd. Daarop had Evelien, zoals zij dat kon, lief naar hem gelachen en was het door hem heen geschoten: Verlies je hart in vredesnaam niet aan de verkeerde, niet aan een man als ik, met een duister verleden.

Felix slaakte een moedeloos zuchtje toen Suze, op dit punt van zijn gedachten, voor zijn geestesoog verscheen, hij glimlachte voor zich uit toen hij weer bij Evelien terechtkwam. Hij had vanochtend al afscheid van haar genomen omdat ze in de loop van de middag wilde vertrekken. Zij verheugde zich erop dat ze een lang weekeinde bij haar ouders op de boerderij zou doorbrengen, zondagavond zou ze terugkomen. Naar dat tijdstip keek hij uit, want dan zou hij ook Davina weer kunnen begroeten. De ouders van haar hartsvriendinnetje hadden voor een lang weekeinde een huisje gehuurd op het terrein van een tropisch zwemparadijs. Ze hadden gevraagd of Davina met hen mee mocht. Het was Liekes hartenwens, maar zij wilden Davina ook graag een pretje bezorgen. Hij zou een egoïst zijn als hij er nee op had gezegd alleen omdat hij zijn kameraadje al bij voorbaat miste. Al met al leek het er echter wel op alsof iedereen hem willens en wetens aan zijn lot overliet, want Tica logeerde dit weekeinde bij Manon. Omdat ze moest toegeven dat het nergens op sloeg, noemde Tica Manon niet langer haar exschoonzus, maar haar vriendin. Dat klonk niet alleen beter, vond Felix, het was aannemelijker. Hij hoopte dat alledrie zijn vriendinnetjes het weekeinde volop zouden genieten, want uiteraard zat hij zich niet écht en zeker niet zielig te beklagen over zijn eenzaamheid.

Morgenmiddag moest hij de stad in om iets moois voor Evelien te kopen. Joosje had hem erop gewezen dat de tas die eeuwig en altijd over Eveliens schouder bungelde als ze de deur uitging, zijn beste tijd had gehad. In een onbewaakt ogenblik had hij de tas een keer van de kapstok genomen en van alle kanten bekeken. Nu wist hij zo ongeveer waar hij morgenmiddag op moest letten en zou hij haar geen miskoop cadeau doen. Hij wist nu al dat Evelien opnieuw zou zeggen dat hij haar niet zo schandalig met allerlei cadeaus moest verwennen. Ze vergat dan, of wilde het niet weten, dat hij alleen maar bezig was haar in natura te bedanken voor geboden diensten. Die voor hem goud waard waren.

En zo, dankzij tal van lieve mensen om hem heen, zag zijn leven er weer zinvol uit. Dat er desondanks iets te wensen overbleef, moest hij maar liever voor zichzelf houden. De liefde van een vrouw was nu eenmaal niet meer voor hem weggelegd. Zondagmiddag zou hij even bij Giel en Joosje langsgaan en dan zou hij er beslist geen moeite voor hoeven doen om stil mee te genieten van het goede tussen zijn zus en zwager. Hij kon de zon gelukkig in het water zien schijnen. En als hij eraan terugdacht wat die twee hadden moeten doorstaan en hoe goed het nu weer ging met Giel, voelde hij onmetelijke dankbaarheid in zich neerdalen. Kom, hij zou zichzelf op een Berenburgje trakteren en in de stilte die hem omringde, zou hij toosten op het plezier dat Evelien, Tica en Davina deze dagen mochten beleven.

Dat er dit weekeinde iets gebeuren zou dat niets met plezier van doen had, kon Felix op dit moment onmogelijk weten.

Omdat ze niet uitgepraat raakten, was het gisteravond abnormaal laat geworden voor Manon en Tica. Ze hadden elkaar wakker en aan de praat gehouden door te zeggen dat ze morgen konden uitslapen en dat hadden ze gedaan. Het was tegen half twaalf, deze zaterdagochtend, toen ze allebei, net uit bed, in hun duster aan het ontbijt zaten. Tica stelde als terloops de vraag: 'Wat zullen we vanmiddag gaan doen?' Manon hielp haar eraan herinneren: 'Jij gaf gisteravond te kennen dat je zin had in het Japanse rijstgerecht dat ik volgens een zelfbedacht en uitgeprobeerd recept bereid en waar jij hier bij mij meerdere keren van hebt gesmuld. Ik wil het met alle liefde nog een keer voor je klaarmaken, maar omdat ik er niet op had gerekend, zullen we vanmiddag naar de supermarkt moeten om de ingrediënten ervoor in te slaan. Als je dat er voor over hebt?' 'Nou en of! Ik hoef alleen maar aan het gerecht te denken of het water loopt me al in de mond. Ik heb het zelf een keer geprobeerd te maken, maar het leek en smaakte niet naar dat van jou. We gaan dus boodschappen doen! Ik vind het overigens best gezellig om in zo'n kleine dorpssuper rond te neuzen.'

Manon reageerde er quasi-verbolgen op. 'Je zou er gerust wat minder laatdunkend over mogen doen! Ons dorp is weliswaar niet een van de allergrootste, maar zeker geen achtergebleven gebied! Het verenigingsleven mag je hier bruisend noemen en behalve de supermarkt hebben we een slager en een warme bakker. Verder hebben we, bijvoorbeeld, een eigen politiebureau wat lang niet elk dorp meer kan zeggen. En wat denk je van het fraaie bankgebouw waar ik elke ochtend binnenstap om een maandsalaris te verdienen! We hoeven ons hier nergens mee te behelpen, anders zou ik trouwens allang vertrokken zijn.'

'Ik wil je niet op je teentjes trappen, toch moet ik je erop wijzen dat jij de beperkingen van een dorp niet over het hoofd moet zien! Want vergeleken met een grote stad zijn die er gewoon. Dat zul je eerlijkheidshalve moeten toegeven!'

'Tjonge, wat ben jij een drammer! Worden je collega's soms niet tureluurs van jou? Of Felix Visser? Nu ik zijn naam noem, realiseer ik me pas dat jij het tot dusverre nauwelijks over hem hebt gehad?'

Tica bloosde licht toen ze bekende: 'Ik zie Felix de laatste tijd niet meer zo regelmatig.' Op Manons vragende blik ging ze verder: 'Dat ligt niet aan Felix, hij is nog precies dezelfde fijne vent. We zien en spreken elkaar minder dan voorheen omdat ik me een beetje terugtrek.'

'Daar moet jij dan volgens mij een reden voor hebben en die moet je me nu ook gelijk maar vertellen. Je kent me en weet dus dat ik niet van geheimzinnig gedoe hou.'

'Als het tussen ons blijft, mag je het gerust weten. Evelien heeft er tot nog toe niets van aan mij laten merken, niettemin voel ik aan dat er tussen haar en Felix iets gaande is. Het klikte vanaf het begin meteen al heel goed tussen die twee, dat bewijst alleen al het feit dat zij al heel snel ook de nachten in zijn huis doorbracht. Ik gun hun de liefde, maar daar wil ik liever geen getuige van zijn. De keren dat ik Felix uit fatsoen en om vooral geen argwaan te wekken over mijn gevoelens jegens hem, een bezoekje breng, voel ik me bij hem en Evelien gewoon een storend element. Ik kan je wel zeggen dat dat voor mij geen pretje is. Door zo weinig mogelijk naar hem toe te

gaan, neem ik mezelf in bescherming. Snap je?'
'Ja, dat lijkt me niet zo moeilijk. Naar mijn smaak had je echter wel wat eerder tegen mij mogen zeggen dat je smoorverliefd bent op Felix Visser. Want dat kun je nu niet meer ontkennen!'
'Ik ben niet verliefd op Felix. Het zit dieper, ik hou van hem. En daar snap ik zelf helemaal niks van. Want het is nog niet zo gek lang geleden dat ik voor mezelf heel zeker wist dat ik met een man als Felix niet eens zou kunnen flirten. Louter en alleen omdat hij voor mij nooit de ware Jacob zou kunnen zijn. En toch ben ik gaande-weg en zonder het te willen, meer voor hem gaan voelen dan wen-selijk is voor mezelf. Het is toch werkelijk bespottelijk dat je niet eens bij machte bent om je eigen hart te sturen in de richting die voor jou het beste is!'
Manon schoot in de lach om het verongelijkte gezicht dat Tica trok. Ze had het over zichzelf toen ze zei: 'Zolang je de ware niet tegen-komt, is het een koud kunstje om de teugels van je hart stevig in eigen hand te houden. En nu ik jou zo hoor, prijs ik me gelukkig met het feit dat die ene, zeldzame man er voor mij niet rondloopt. Ik heb al vaker om me heen gezien dat de liefde een hoop ongemak met zich mee kan brengen als je je hart aan de verkeerde verliest. Dat is jou nu overkomen en dat vind ik bijzonder sneu voor je. En dat juist Evelien, je vriendin, jouw rivale is, moet voor jou zo kwet-send zijn dat je haar niet meer als vriendin zult kunnen beschou-wen.'
'Toch wel, want op die manier kijk ik niet tegen Evelien aan. Zij kent mijn gevoelens voor Felix niet en dus zit ze niet bewust in mijn vaarwater. Het gaat mij trouwens niet alleen om Felix, het doet ook gemeen zeer dat Evelien over afzienbare tijd over Davina mag moe-deren, terwijl ik zielsveel van haar hou...'
Manon wierp haar een meelevende blik toe. 'Wat spijt me dit ver-schrikkelijk voor je...'
Tica haalde haar schouders op. 'Je moet met mij geen medelijden

hebben, er zullen vast meer van die pechvogels als ik rondlopen. Ik zou alleen wel heel graag willen weten hoe Davina erop reageert als Felix haar vertelt dat hij en Evelien elkaar gevonden hebben. Ik moet er namelijk aldoor aan terugdenken dat Davina onlangs iets tegen mij zei dat me behoorlijk uit balans bracht. Het was op een avond dat ik toch eventjes bij Felix binnenwipte. Toen Davina bedisselde dat ik haar naar bed moest brengen, deed Evelien alsof zij daar geen moeite mee had. Ik had Davina net goed en wel lekker ondergestopt, ging nog even op de rand van haar bed zitten, toen ze totaal onverwacht zei: "Ik droom heel vaak dat juf mijn nieuwe moeder wordt. Dan gaan pappa en juf trouwen en ben ik heel erg blij. Dat droom ik, maar dan ben ik gewoon wakker, hoor."

'De wensdroom van een kind...' begreep Manon. Ze liet het droevige ervan even op zich inwerken, waarna ze opperde: 'Ik kan me voorstellen dat jij ervan schrok en even niet wist wat je erop moest zeggen. Maar ik neem aan dat het kind wel antwoord verwachtte. Tjonge, jij moet het toen even knap moeilijk hebben gehad!'

'Ja, en ik vraag me nog steeds af of ik op dat moment de juiste woorden heb gekozen. Ik heb tegen Davina gezegd dat als haar vader met mij zou willen trouwen, hij net zoveel van mij moest houden als van haar, zijn dochter. Ik voelde me verplicht tegen haar te zeggen dat dat niet zo was en het raakte me diep te moeten zien hoe de hoop uit haar donkere oogjes verdween. Om haar op te beuren, heb ik toen op Evelien gewezen en voorzichtig gezegd dat haar pappa misschien wel met haar zou willen trouwen. Dat had ik waarschijnlijk niet moeten zeggen, maar ja...'

Manon vroeg: 'Hoe reageerde Davina daarop?'

Tica glimlachte vertederd. 'Ze is zo'n grote schat, dat kleine meisje. In al haar kinderlijke onbevangenheid zei ze hoe ze erover dacht: "Evelien is geen moeder, eerder een grote zus. Zou pappa dat wel weten?" Daar heb ik snel overheen gepraat door te zeggen dat ze nu echt moest gaan slapen. Ik hoop dat zij niet heeft gemerkt dat de kus die ik haar gaf anders was dan die ik haar normaal geef. Ik kuste het kind van de man die ik liefheb als was ze mijn eigen kind...'

Tica sloeg een paar vochtige ogen op naar Manon, maar toen ze de medelijdende blik van haar opving, deed ze quasi-opgeruimd: 'Zo, nu ben jij op de hoogte van mijn zielenroerselen en praten we er niet meer over! We gaan ons douchen, aankleden en optutten en daarna gaan we boodschappen doen. Vanmiddag mag jij voor keukenprinses spelen en zal ik je zoveel mogelijk helpen!'

Hoe heel anders zou het lopen! In plaats van dat ze in de late namiddag zouden smullen van Tica's favoriete gerecht, zou er vanwege de consternatie van dat moment iets van de afhaalchinees op tafel komen.

Nietsvermoedend, gezellig druk kletsend, liepen Manon en Tica een uurtje later door het dorp naar de supermarkt. Ze hadden nauwelijks een paar stappen in de winkel gezet toen ze allebei als aan de grond genageld bleven staan. Met grote ogen vol ongeloof staarden ze naar de bedrijfsleider van de winkel en een paar vrouwelijke klanten die om Suze heen stonden. Zij zag er deerniswekkend uit. De linkerkant van haar gezicht zag paars en blauw en was zo dik opgezwollen dat het oog nauwelijks nog te zien was. Ze hield een zakdoek tegen haar bloedende lip gedrukt en murmelde met neergeslagen ogen: 'Kan iemand van jullie me helpen, ik durf niet terug naar huis...'

Niemand om haar heen deed of zei er iets op en toen dat tot Tica en Manon doordrong, deden ze tegelijkertijd een paar stappen naar voren. Manon zocht de blik van de bedrijfsleider. 'Wat is hier wel niet aan de hand!'

Hij haalde zijn schouders op en trok een bedenkelijk gezicht. 'Ze kwam vlak voor jullie de winkel binnen, ze beweert dat Sjef haar zo heeft toegetakeld. Maar dat kan ik me niet voorstellen, volgens mij kan die man nog geen vlieg kwaad doen. En dan nog; wat kan ik eraan doen?' Hij keek vragend naar de vrouwen die met open mond toekeken en naar hem hadden geluisterd.

Een van de vrouwen meende te begrijpen wat hij ermee wilde zeggen. 'Je hebt groot gelijk, ik brand mijn handen ook niet graag aan dergelijke zaken. Ik heb mijn boodschappen binnen en zoek mijn huis weer op!' De vrouw voegde de daad bij het woord. Ze nam haar volle tas van de grond en toen zij resoluut op de uitgang toeliep, volgden de anderen haar voorbeeld.

'Ik kan hier ook niet blijven staan,' zei de bedrijfsleider ietwat hulpeloos, 'voor mij is er letterlijk werk aan de winkel.' Hij boog zich naar Suze over en adviseerde haar: 'Ga maar rustig weer naar huis, Sjef is de kwaadste niet. We kennen hem hier op het dorp toch!'

Suze reageerde er niet op, zij staarde als gehypnotiseerd naar Tica. Deze zond haar een bemoedigend lachje, waarop Suze fluisterde: 'Juf Tica... wat goed dat ik u zie! De anderen laten het afweten, wilt u mij helpen?'

Voordat Tica iets kon doen of zeggen, legde Manon een arm om Suzes schouder en aangeslagen zei ze: 'Als je zo bang bent voor je man dat je niet naar huis terug durft, waarom ga je dan niet naar je ouders? Zij wonen hier immers vlakbij!'

Suze schudde haar hoofd en huilend zei ze: 'Dat kan niet... De vorige keer toen Sjef me ook al zo te pakken had genomen, ben ik naar mijn moeder gegaan. Toen zei ze dat ik gerust elke dag een kop koffie bij haar mocht komen drinken, maar dat ze me niet bij haar in huis kon nemen. Mijn moeder kan zoiets niet aan, ze heeft een zwak zenuwgestel en ze is heel snel moe. Net als ik...'

Dat is me bekend, schoot het door Tica heen, maar deze keer is het je aan te zien dat je aan het eind van je Latijn bent. Ze keerde Suze haar rug toe en fluisterde tegen Manon: 'Ik weet niet hoe het jou vergaat, maar ik kan haar in deze situatie niet aan haar lot overlaten. Zullen we haar meenemen naar jouw huis totdat ze weer wat op verhaal is gekomen?'

'Daar had ik ook al aan gedacht,' fluisterde Manon terug. Ze keerde zich weer naar Suze en zei troostend: 'Huil maar niet meer, je mag met ons mee. Een kop koffie zal je goeddoen, daarna zien we wel verder.' Tegen nieuwe klanten die net binnen waren gekomen en Suze stonden aan te gapen, zei Manon: 'Jullie nieuwsgierigheid is begrijpelijk, maar daar is Suze niet mee geholpen. Je ziet hoe verschrikkelijk ze eruitziet, ze zegt dat Sjef haar zo heeft toegetakeld. Mocht een van jullie hem zien, zeg dan tegen hem dat zijn vrouw bij mij is. Als hij werkelijk de onschuld zelve is zoals hier zopas werd gesuggereerd, zal hij bezorgd zijn en haar komen halen. Als hij zich niet laat zien weet ik genoeg en vrees ik voor hem het ergste.' Hierna liep ze achter Tica en Suze aan naar buiten.

Suze was over haar toeren en huilde onafgebroken. Tica wisselde een blik van verstandhouding met Manon: ze moesten Suze even haar gang laten gaan. Tranen luchten op, hopelijk zou zij dat mogen ervaren.

Het speet hen niet dat ze thuis waren en geen vragende blikken van dorpsgenoten meer hoefden te ontwijken. Tica had Suze de bank gewezen waarop ze nu in een hoekje zat weggekropen. Manon had ondertussen een koud kompres gemaakt en legde dat tegen Suzes opgezwollen gezicht. 'Leg je hand erop, dan glijdt het niet weg. Ja, zo is het goed en nu ga ik ervoor zorgen dat je een kop koffie krijgt.' Suze hief voor het eerst haar gezicht op. 'Ik heb liever een borrel, een cognacje vind ik lekker.'

Tica hoorde ervan op en kon niet nalaten op te merken: 'Ik meende van Felix te weten dat jij nooit dronk. Bij hoge uitzondering eens een wijntje, maar daar hield het toch wel mee op?'

'Vroeger, bij Felix, vond ik drank vies, maar nu niet meer. Als je pijn hebt aan de buitenkant van je lijf of vanbinnen, dan helpt een borrel. Soms, maar als de pijn al te hevig is, niet...'

'Ik weet niet, hoor,' vroeg Manon zich hardop af, 'of ik meteen met drank moet klaarstaan. Het is beter dat je een kop koffie neemt en daarna moet je ons vertellen wat er is gebeurd.' Ze sloeg een vragende blik op naar Tica toen ze erachteraan zei: 'Het zou misschien niet onverstandig zijn als we de dokter waarschuwden.'

Voordat Tica erop kon reageren, zei Suze, even gejaagd als angstig: 'Nee, nee, ik wil niet dat de dokter komt. Ik ben bang voor dokters en het is niet nodig, want het gaat elke keer vanzelf weer over. Mijn lip bloedt al niet meer en dat andere in mijn gezicht trekt ook vanzelf weer bij. Maar deze keer heeft Sjef het te bont gemaakt. Daarom ben ik bij hem weggevlucht...'

Tica was naast haar op de bank gaan zitten. Ze keek Suze van opzij meewarig aan toen ze zei: 'Je zei dat het elke keer weer overging, betekent dat dat Sjef je vaker zo vreselijk heeft mishandeld?'

'Ja, meer dan eens. Als hij kwaad is, neemt hij me gewoon te grazen. Dat deed hij eerst niet, het begon nadat we getrouwd waren. Voor die tijd heeft hij me maar eenmaal een klap in mijn gezicht gegeven, maar nu gebruikt hij niet alleen zijn vuisten, maar schopt hij me ook. Kijk maar, mijn enkel is nog dik van de trap die hij me gisteren heeft verkocht. Sjef zegt dat hij de baas in huis is en dat ik hem in alles moet gehoorzamen. Ik weet dat hij het zo wil en toch vergeet ik het soms. Dan doe ik het tegenovergestelde en is het meteen weer goed mis. Dat is dan mijn eigen domme schuld, zegt Sjef, maar ik vind dat hij me niet aldoor opzettelijk zoveel pijn hoeft te doen.'

'Daar heb jij volkomen gelijk in,' zei Manon, 'je had het alleen niet zover moeten laten komen. Je had meteen de eerste keer dat hij je aftuigde, aangifte op het politiebureau moeten doen. Want geloof mij dat men daar wel raad weet met een heerschap als Sjef de Noord! Huiselijk geweld is strafbaar en dát zou hij aan den lijve moeten ondervinden. Ik mag de dokter niet waarschuwen, ik hoop dat je ermee instemt dat ik de politie bel?'

'Wat gebeurt er dan allemaal met me? Ik durf niet met zulke hooggeleerde mensen te praten...'

Lieve deugd, schoot het door Manon heen, het zijn geen fabels die er over haar in het dorp de ronde doen, ze is inderdaad een domme vrouw. Dat mag ik rustig stellen, vond ze, van iemand die een politieman hooggeleerd noemt. 'Je hoeft niks te zeggen, wij zullen het woord voor je voeren. Jij moet alleen officieel aangifte doen, dan zul je worden geholpen. Wat is er eigenlijk gebeurd dat Sjef zo kwaad werd dat hij als een dolgeworden stier tegen je tekeerging? Of kun je dat niet tegen ons zeggen?'

'Jawel. Omdat jullie ook vrouwen zijn, durf ik het wel te verklappen. Sjef wilde vanmorgen meteen toen we wakker werden met me vrijen en toen ik dat niet wilde en me snel uit bed liet glijden, kwam hij achter me aan. Zo kwaad als toen heb ik hem niet eerder gezien. Hij trok me aan mijn haren met zich mee naar de badkamer. Ik huilde, kon niet meer stil worden, maar dwars door mijn tranen heen zag ik de grote pluk haar in zijn hand. Het doet gemeen zeer als de haren je uit het hoofd worden getrokken. Toen hij met zijn vuist een paar keer keihard op de linkerkant van mijn gezicht sloeg, was het net alsof het hamerslagen waren... Hij was echt door het dolle heen, hij brulde en schold me voor van alles en nog wat uit. Toen hij zijn woede eindelijk op mij had bekoeld, duwde hij mij de badkamer uit. Ik hoorde dat hij het bad vol liet lopen en omdat ik weet dat hij soms langer dan een uur in bad blijft liggen, heb ik mijn kans waargenomen. Toen heb ik in de slaapkamer snel mijn kleren aangetrokken en ben ik stilletjes het huis uitgeslopen. Ik ga niet meer terug, want ik weet zeker dat het weer zal gebeuren. En ik wen er niet aan, raar is dat...'

'Nee, dat is níet raar,' zei Tica met een gezicht vol afgrijzen, 'daar mag jij niet eens je best voor doen! Je zou hem er immers mee tegemoet komen.'

'Ik ga niet terug naar huis, dat zou mijn dood kunnen betekenen,' herhaalde Suze wanhopig en vervolgens barstte ze in snikken uit. 'Ik ben zo bang voor hem, zo verschrikkelijk bang, dat kunnen jullie je niet voorstellen...'

Tica's gedachten schoten pijlsnel naar het kleine meisje dat zij eens bij een bushalte had aangetroffen. Doodsbang voor een bruut van een kerel was ze van huis weggevlucht en nu zat zij bij de moeder van het kind die al even bang voor hem was. Begaan met Davina kon Tica de vraag in haar met geen mogelijkheid tegenhouden. 'Je kleine dochter, Davina, was ook doodsbang voor hem. Of weet je dat niet, heb je het niet aan haar gemerkt?'

'Jawel... Maar toen stond ik pal achter Sjef. Ik gaf hem overal gelijk in, want dan werd hij tenminste niet kwaad.' Suze lachte schaapachtig door haar tranen heen.

Tica kon het wederom niet nalaten te zeggen: 'Felix heeft me eens verteld dat Davina onder de douche stond en dat Sjef haar toen heeft staan te begluren. Daar moest jij toen om lachen, dat weet je vast ook nog wel?'

Suze knikte, ze depte met haar zakdoek voorzichtig haar dichtgeslagen oog en zei, tot verbazing van de andere twee vrouwen met een lachje in haar stem: 'Ik vond het wel grappig, er stak geen kwaad in, want Sjef bedoelde er niks mee. Maar zo dacht Felix er niet over! Ik weet nog dat hij woedend op Sjef was. We spraken elkaar door de telefoon, herinner ik me en toen gaf Felix Sjef een bepaalde naam. Die kan ik niet onthouden laat staan uitspreken, zo duur klonk die!'

Tica kende het weerzinwekkende verhaal van Felix, tegen Suze zei ze: 'Noemde Felix Sjef toen misschien een pedofiel?'

Suze schoot verrast rechtop. 'Ja, dat zei hij, maar ik weet nog steeds niet wat het betekent. Jij wel?'

Tica knikte en met grote tegenzin legde ze uit wat volgens haar eenieder wist, behalve Suze. En terwijl de laatste na de uiteenzetting opnieuw schaapachtig van de een naar de ander keek, bedacht Tica dat ze erop door moest gaan. Ze moest Suze polsen, des te sterker stonden ze straks als de politie arriveerde. Dat kon elk moment gebeuren, want Manon had haar zojuist een seintje gegeven dat ze het bureau gebeld had.

Tica richtte zich weer tot Suze, en Manon begreep ogenblikkelijk het doel van haar vraag: 'Nu ik je het een en ander heb uitgelegd, begrijp jij vast wel waarom je man op die bepaalde manier naar Davina keek. Maar misschien is het niet bij Davina gebleven? Denk eens goed na, had Sjef meestal een zak snoepjes of dropjes bij zich om kinderen te lokken? Of kwamen er weleens jonge kinderen over de vloer?'

Suze wierp Tica een verontwaardigde blik toe en verbolgen viel ze uit: 'Nu ik weet wat die moeilijke naam betekent, vind ik het meer dan gemeen dat jullie Sjef dáár van beschuldigen! Sjef houdt niet van kinderen, maar hij zal ze beslist geen kwaad kunnen doen. Dat weet ik heel zeker, want ik ken hem toch!'

Manon verwoordde de zucht van verlichting die Tica slaakte. 'Ik weet wat jij nu denkt! Ik hoop dat wij Sjef de Noord wat dit betreft valselijk hebben beschuldigd. Het lijkt me verstandig om deze kwestie onaangeroerd te laten als de politie er straks is. Denk je ook niet?'

Tica knikte. Op dat moment werd er gebeld en stonden er twee agenten voor de deur. Ook zij waren dorpsgenoten van Manon waardoor ze elkaar als gewoonlijk bij de voornaam aanspraken. 'Ewald en Martin, fijn dat jullie zo snel gehoor gaven aan mijn belletje!' In de hal vertelde ze uitvoerig wat er met Suze aan de hand was, de kwestie pedofilie verzweeg ze.

Na haar uitleg zei de oudste van de beide mannen: 'Het is goed dat wij dankzij jou weten waar we aan toe zijn, want nu hoeven wij het Suze zo dadelijk niet extra moeilijk te maken. Wij kennen haar zoals iedereen in het dorp haar inmiddels kent: als niet al te pienter. En iemand als zij, die ons hooggeleerd noemt zoals jij zojuist vertelde, moet zoveel mogelijk worden ontzien.'

In de huiskamer stelden de mannen zich eerst aan Tica voor, daarna aan Suze. Zij negeerde de naar haar uitgestoken handen, boog diep haar hoofd en murmelde: 'Ze hadden me een cognacje moeten geven, dan was ik nu niet zo zenuwachtig geweest...'

Zij had er geen idee van dat ze zo goed als niets zou hoeven zeggen. De anderen keken met meewarige gezichten toe toen Suze, na een kort onderhoud waar de agenten niet omheen konden, haar handtekening onder de aanklacht moest zetten. Van inspanning stak ze het puntje van haar tong naar buiten en tekende ze letter voor letter haar naam: Suze de Noord. Ze strekte met een diepe zucht haar rug toen ze ermee klaar was en zag niet wat de anderen zagen: dat de kinderlijk aandoende hanenpoten nauwelijks leesbaar waren.

Op Manons vraag of ze misschien trek in een kop koffie of thee hadden, schudden de mannen hun hoofd. Een van hen zei veelbetekenend: 'We moeten de tijd maar liever nuttig besteden. We hebben nog een klus te klaren! We zullen in ieder geval een poging moeten ondernemen om Sjef de Noord te spreken te krijgen!' Hierna stonden ze op en Manon liet hen uit.

Voordat ze de buitendeur opende, stelde ze een dringende vraag: 'Wil je me alsjeblieft bellen als je hem hebt gesproken? Dan kunnen we Suze hopelijk geruststellen.' Daarop beloofde de oudste, Ewald Groenewold, dat ze zeker een belletje van hem mocht verwachten.

Terug in de huiskamer vond Manon Suze in tranen en keek Tica haar hulpeloos aan. 'Ik weet niet meer wat ik ermee aan moet. Ze zit almaar te zeuren om een cognacje, zou het niet verstandig zijn haar er een te geven?'

'Ik heb geen cognac of iets dergelijks in huis,' zei Manon, 'dat sterke spul drink ik niet en mijn vrienden en kennissen al evenmin.'

Ze was amper uitgesproken toen Suze zowat hysterisch huilde: 'Ik móet een borreltje, ik kan dit gedoe niet aan... Ik word er zo moe van, zo moe...'

'Nou, goed dan,' verzuchtte Manon. 'Ik kan je echter alleen wijn of een likeurtje aanbieden.' Ze koos voor het likeurtje en toen ze het glaasje aan Suze overhandigde, slaakte deze een zucht van verlichting en vervolgens sloeg ze het glas in een keer achterover.

Ze maakte een smakkend geluidje waarop ze, opnieuw in tranen, snikte: 'Ik stel me niet aan, ik ben echt heel erg moe. Mag ik even languit op de bank gaan liggen? Ik móet een poosje slapen...'

Wat heb ik me op de hals gehaald, vroeg Manon zich vertwijfeld af. Tica daarentegen nam doortastend een beslissing. 'Ik zal je de logeerkamer wijzen, dan mag je daar op mijn bed van de vermoeienissen uitrusten. Kom maar met me mee.'

Suze stond moeizaam op en al even traag volgde ze Tica. Deze was in een ommezien terug en op Manons vraag: 'Heb je er geen moeite mee dat ze in jouw bed kruipt? Ze zag er bepaald niet fris uit!' haalde Tica haar schouders op.

'Ze zal er vannacht ook in moeten slapen, ik neem wel genoegen met de bank. Het is allemaal best vervelend, maar we kunnen haar vanavond toch moeilijk de straat op sturen?'

Daarop knikte Manon, maar zei ze bedenkelijk: 'Wat mij betreft mag ze hier morgen ook nog blijven, maar daarna zal ze toch echt zelf voor onderdak moeten zorgen. Ik moet maandagochtend naar kantoor en het idee dat Suze dan alleen in mijn huis zal zijn, zint me niks.'

'Dat zou mij niet zoveel kunnen schelen,' opperde Tica. 'Ze schijnt niet veel meer te doen dan televisie kijken, de troep die ze eventueel maakt, ruim ik wel weer op. Ik heb medelijden met haar, het staat overigens als een paal boven water dat ze hulp nodig heeft. Ze is gewoon een arme sloeber die niet voor zichzelf kan zorgen, dan moet iemand anders het immers voor haar doen? Is het jou overigens ook opgevallen dat ze Davina's naam tot dusverre niet heeft genoemd?'

'Ik denk dat we haar dat niet kwalijk mogen nemen,' zei Manon bedachtzaam. 'Ze weet dat Davina bestaat, maar verder staat ze er volgens mij niet bij stil. Goedbeschouwd had een vrouw als Suze geen kind mogen krijgen. Ik vraag me af of Felix het vroeger niet in de gaten had dat het zo ernstig gesteld was met de vrouw die hij toen trouwde. Had hij zijn ogen dan in zijn zak, zijn eigen gezonde verstand op nul staan?'

'In de tijd dat Evelien nog niet zo duidelijk in beeld was, hebben Felix en ik diverse, lange gesprekken gevoerd. Het waren van zijn kant vaak vertrouwelijke gesprekken en zodoende weet ik dat hij wel degelijk inzag dat Suze niet de snuggerste was. Maar hij hield van haar en was ervan overtuigd dat hij alles voor haar zou kunnen goedmaken. Hij wilde ervoor zorgen dat ze eenvoudige cursussen ging volgen. Door een heropvoeding wilde hij van haar een volwaardig mens maken, maar het pakte allemaal anders uit. Toen Davina werd geboren, had Felix naast zijn werk zijn handen vol aan haar. Het is louter aan Felix te danken dat Davina zo'n bijdehand, pienter meisje is geworden, want Suze heeft absoluut niets gedaan aan haar opvoeding. Na wat wij vandaag met haar hebben meegemaakt, begrijp ik pas dat het geen onwil van haar was, maar louter onmacht. Ze is werkelijk beklagenswaardig, ik vraag me af hoe Felix erop zal reageren als ik hem vertel hoe erbarmelijk slecht Suze eraan toe is.'

'Wat ben je van plan, ga je hem zo dadelijk bellen?'

'Nee, ik heb iets anders bedacht. Ik denk dat ik morgen niet tot de avond bij je blijf zoals we hadden afgesproken, maar dat ik meteen na de lunch terug naar de stad ga. En jij hoeft je verder geen zorgen te maken, want ik neem Suze met me mee. Als ik met haar thuis ben, bel ik Felix en dan hoor en zie ik wel wat hij doet. Lijkt jou dit niet ook de beste oplossing?'

'Ik vind het geen prettig idee dat jij met haar opgescheept zult zitten. Want wees eerlijk: wij hebben hier niet om gevraagd, we werden voor het blok gezet. Het is best mogelijk dat er vanuit een andere hoek hulp was komen opdagen als wij minder impulsief gehandeld hadden. Maar ja, dat is gepraat achteraf.'

Terwijl Suze sliep en even geen pijn en angst kende, bleven Manon en Tica bezig met haar problemen waar ze zelf opeens nauw bij betrokken waren.

Op een gegeven moment moesten ze het gesprek onderbreken omdat de telefoon ging. Manon nam op, het bleek Ewald Groenewold te zijn. 'Belofte maakt schuld, dus hier ben ik!'

Met een stem vol spanning vroeg Manon: 'Hoe is het gegaan, hebben jullie Sjef de Noord gesproken?'

'Ja, nou en of! We troffen hem thuis en nadat we hem aan de tand hadden gevoeld, gaf hij tot onze niet geringe verbazing onmiddellijk toe dat hij zijn vrouw een pak slaag had verkocht en dat het niet de eerste keer was geweest dat hij zijn woede op haar had gekoeld. Hij zei er spijt van te hebben en volgens ons waren de tranen die hij vergoot, niet geveinsd. Wij konden de aanklacht van Suze echter niet klakkeloos naast ons neerleggen en dus moesten we hem inrekenen. Sjef de Noord verzette zich er niet tegen, hij liep als een geslagen hond gedwee met ons mee. Om een lang verhaal kort te maken: hij zit op het bureau in de cel, maandag zal zijn zaak verder uitgediept en aangepakt worden. Je kunt dus tegen Suze de Noord zeggen dat zij van haar man niets te vrezen heeft en dat ze rustig weer naar huis kan gaan. Nou, ik hoop dat ik je naar tevredenheid op de hoogte heb gesteld?'

'Jazeker, je wordt ontzettend bedankt! Ik ben eigenlijk wel erg benieuwd wat voor straf Sjef te wachten zal staan. Kun je dat al aan me verklappen of vraag ik nu te veel?'

'Je zegt het zelf al! Wij kennen elkaar als dorpsgenoten erg goed, niettemin geldt voor ons de stelregel dat wij onze mond niet voorbij mogen praten! Het is bovendien niet aan mij of mijn collega om hem een straf op te leggen, daar hebben we rechters voor, zoals je weet. Groet je vriendin van me en wens Suze sterkte!'

Nadat Manon het gesprek tussen haar en de agent aan Tica had verteld, merkte zij verheugd op: 'Het voor ons belangrijkste is dat Suze gewoon weer naar haar eigen huis kan gaan! Nu Sjef veilig achter slot en grendel zit, loopt zij daar geen gevaar!'

'Verhip, nu je het zegt!' Net als Tica lachte Manon een bevrijdende lach.

Op dat moment kwam Suze weer binnen. Ze geeuwde ongegeneerd zonder een hand voor de mond te slaan. 'Ik heb geslapen als een os, niet lang, zie ik op mijn horloge, maar 'k voel me nu wel wat beter.' Toen ze het hoekje van de bank weer had opgezocht vertelde Manon zo beknopt mogelijk aan haar wat er met Sjef was gebeurd. Ze besloot de uitleg met te zeggen: 'We halen zo dadelijk iets van de chinees, daarna kun jij weer rustig naar huis gaan. Sjef zit achter de tralies, van hem heb jij niks meer te vrezen!'

Ze hadden een opgeluchte lach verwacht, tot hun schrik viel Suze echter hysterisch uit: 'O nee, ik durf niet naar huis, jullie moeten me blíjven beschermen! Ik ken Sjef, hij laat zich niet gevangen zetten. Op de een of andere manier zal het hem lukken om eruit te komen en dan moet ik het weer ontgelden. Dan slaat hij me dood, echt waar, dat weet ik zeker!'

De beide vrouwen wisselden een moedeloze blik, Tica sprak op Suze in: 'Omdat je nog zo overstuur bent, mag je vannacht bij ons blijven, maar morgenochtend brengen wij je onherroepelijk terug naar huis. Je moet proberen erover na te denken, dan begrijp je vanzelf dat je huis nu, zonder Sjef, voor jou een veilig onderkomen is. Toe, Suze, je bent toch geen onmondig kind, je kúnt toch nadenken!'

Suze haalde haar schouders op, de rest van de dag werkte haar verongelijkte gezicht op de zenuwen van Manon en Tica.

De volgende ochtend hielden zij echter voet bij stuk. Tica en Manon waren al aangekleed toen Suze eindelijk beneden kwam. 'Ik wou me gaan douchen toen ik bedacht dat ik geen andere kleren, niet eens een schoon slipje bij me heb. Kan ik misschien iets van jullie lenen?'

Manon trok een bedenkelijk gezicht, Tica antwoordde doortastend. 'Dat zou kunnen, maar het is niet nodig. Wij brengen je zo dadelijk naar huis en dan kun jij je daar douchen en verkleden.'
'Moet ik echt van jullie naar huis? Ik vind het zo gezellig, hier bij jullie...' Het kwam er kinderlijk zielig uit en later, toen ze bij Suze thuis waren, riep ze bij Manon en Tica opnieuw medelijden op.
Toen Tica na Manon afscheid van Suze wilde nemen, keek deze beteuterd en zei met een snikje in haar stem: 'Kom je me vanuit de stad nog een keer opzoeken, dan? Ik vind je zo aardig, je bent heel anders dan zoals ik je vroeger kende. Toen was jij juf Tica en nu durf ik zomaar jij en jou tegen je te zeggen. Het zou heel erg voor me zijn als ik je nooit meer te zien zou krijgen...'
'Nooit is wel erg lang,' glimlachte Tica, vervolgens hanteerde ze een slim trucje. Ze trok haar gezicht in de plooi en zei, quasi-ernstig: 'Ik zou misschien wel contact met je willen houden, maar als ik hier zo om me heen kijk, lopen de rillingen me over de rug. Het is hier net een beestenstal en daar voel ik me niet in thuis. Het is dus aan jou, Suze, of ik je een keer kom bezoeken of niet.'
'Bedoel je... bedoel je dat ik de boel eerst moet schoonmaken?' Toen Tica enkel knikte, jammerde Suze: 'Maar ik kán niet werken, daar ben ik veel te moe voor... Dat heb ik van mijn moeder en daar kun je niks aan doen.'
Tica ging er onverdroten op door. 'Jij en je moeder, jullie zijn niet móe, alleen maar lamlendig. Dat krijg je ervan als je almaar niks doet. Maar je weet nu hoe ik erover denk, ik kom een keer bij je als ik er zeker van ben dat ik in jouw huis geen besmetting oploop. Als het zover is, mag je me bellen, maar dan komt Manon van te voren inspecteren of het hier inderdaad veilig voor mijn gezondheid is.'
'Nou doe je niet aardig, maar lijk je op een strenge juf... Maar goed, ik zal proberen of ik het kan, opruimen en schoonmaken...'
'Je huis zal er niet alleen van opknappen, maar jijzelf vooral. Ik zou

zeggen: begin maar vast, je hebt toch niets anders te doen. Dag Suze, enne... als je mij of Manon nodig mocht hebben, mag je ons bellen. Ik zal de nummers op een briefje schrijven met onze namen er duidelijk achter. Het is niet onze bedoeling je aan je lot over te laten.'

Tijdens de wandeling terug naar Manons huis, merkte Tica op dat hun kerkgang er deze zondag bij ingeschoten was, waarop Manon opperde dat dat voor één keer heus geen doodzonde was. Zij was nog helemaal in de ban van de kwestie Suze en zei: 'Je las haar ongezouten de les, waar haalde je de moed en de juiste woorden zo gauw vandaan? Ik wist niet wat ik hoorde, maar het gaf me een goed gevoel dat jij haar op het laatst te verstaan gaf dat wij haar niet laten vallen.'

Tica gniffelde. 'Ik denk dat ik onbewust het gevoel had dat ik voor de klas stond en een onmondig kind een stukje opvoeding moest geven. Wat denk je, zou het kwaad kunnen als ik ermee doorga?'

'Die vraag hoef je al niet meer te stellen, ik zie aan je dat je al een besluit genomen hebt. Jij zult voor Suze als "juf Tica" in actie komen en jouw kwaliteiten kennende, zal Suze er wel bij varen.'

Manon knikte met haar hoofd om haar voorspelling te onderstrepen, het grappig aandoend gebaar deed Tica glimlachen.

Tussen de middag zorgde Manon voor een kop soep en een boterham, daarna zei Tica met een blik op de klok: 'Ik denk dat ik nu maar gelijk opstap. Dan ben ik bij Felix voordat Davina en Evelien terug zijn en kan ik hem in alle rust op de hoogte stellen van Suzes toestand.'

Het leek Manon een goed idee en kort hierna reed Tica door het dorp richting de snelweg. Toen ze in het dorp hier en daar mensen met elkaar zag staan praten, begreep ze dat het nieuws van de arrestatie van Sjef de Noord zich al in het dorp had verspreid en dat er nu druk over gespeculeerd werd. Tja, zo gaat dat, bedacht ze, maar jullie kunnen praten wat je wilt, het fijne weet je er niet van!

Dat Tica er niet ver naast zat, bleek uit het gepraat van een van de mensen. Een man van middelbare leeftijd schudde verbijsterd zijn hoofd. 'Ik hoorde het toen ik vanochtend uit de kerk kwam, maar ik kan het nog steeds niet geloven. Wij dachten Sjef te kennen als een betrouwbare, vriendelijke man en nu blijkt hij opeens een misdadiger te zijn. Want dat is een kerel die zijn gram haalt op een weerloze vrouw!'

Toen hij zweeg, nam een vrouw uit het groepje het woord. 'Ik heb gisteren in de supermarkt met eigen ogen gezien hoe deerniswekkend Suze eruitzag! Met haar heb ik te doen en het is maar goed dat een kerel als Sjef de Noord zijn verdiende straf niet ontloopt. Het is toch waarachtig niet te bevatten dat je je zo schandalig in een dorpsgenoot kunt vergissen.'

Het was dorpsnieuws van de bovenste plank dat de tongen van de mensen niet alleen die zondag, maar lang daarna nog in beroering bracht.

Felix stond in de huiskamer voor het raam naar buiten te kijken en bedacht dat hij eigenlijk best een flinke wandeling kon gaan maken. Het was weliswaar nog fris buiten – het magere aprilzonnetje kon daar geen verbetering in aanbrengen – maar als hij de pas er flink inzette...

Zijn gedachten werden onderbroken toen hij Tica's auto zag naderen. Met een blijde lach op zijn gezicht haastte hij zich naar de voordeur en kort hierna begroette hij haar. 'Je bent als eerste weer boven water, Davina en Evelien komen pas tegen de avond. Wat fijn dat je er bent, kom gauw binnen!' In de hal legde hij zijn handen op haar smalle schouders en gaf hij haar een begroetingskus op beide wangen. In de huiskamer verdween de blijde lach echter van zijn gezicht en monsterde hij haar ernstig van top tot teen. 'Ik verbeeld me opeens dat jij er ietwat bedrukt uitziet. Is er iets voorgevallen tussen jou en Manon en ben je daarom zo vroeg al bij haar weggegaan?'

Nadat Tica zich in een stoel had laten neerzakken, zei ze: 'Ik kan het me niet voorstellen dat Manon en ik ruzie zouden kunnen krijgen waardoor we elkaar de rug zouden toekeren. Nee hoor, als de een zich al aan de ander zou storen, dan praten we het waarom ervan meteen uit. Het verbaast me overigens dat jij aan me kunt zien dat ik ergens mee zit.'

'Dat lijkt mij niet zo moeilijk,' lachte Felix, 'ik ken je door en door, was je dat eventjes vergeten?'

Je kent me van geen kanten, dacht Tica, en dat is maar goed ook! Het zou niet best zijn als jij wist dat ik zojuist helemaal warm werd vanbinnen en dat enkel vanwege een nietszeggend zoentje op mijn wang.

'Waar denk je aan?' vroeg Felix, 'in plaats van antwoord te geven, droom je van me weg?'

Ze bloosde licht. 'O, sorry...' Na een onhoorbaar zuchtje bekende ze: 'Ik ben opzettelijk zo vroeg naar jou toegekomen, ik heb je namelijk het een en ander te vertellen. Ik weet niet goed hoe ik beginnen moet. Ik ben bang dat het voor jou nogal gevoelig ligt, want het betreft Suze...'

'Suze?' echode Felix verbaasd. 'Heb je haar gezien dan in dat dorp, of wellicht gesproken?'

Zijn vragende blik spoorde Tica aan hem uit de droom te helpen. Ze vertelde het hele verhaal dat in de supermarkt was begonnen en omdat ze geen detail oversloeg, was ze lang aan het woord. Felix onderbrak haar slechts een paar keer, verder hing hij als gebiologeerd aan haar lippen. Tica besloot het lange relaas met te zeggen: 'Ik zie aan je onthutste gezicht dat je er ondersteboven van bent. Dat spijt me, niettemin voelde ik het als mijn plicht het jou te vertellen.'

Felix' stem klonk zwaar van de nog onverwerkte emoties. 'Hoewel ik het niet kon verklaren, heb ik de hele tijd geweten dat ze bij die kerel niet zou vinden wat ze zocht. Maar dat hij haar zou slaan, aftuigen... dat is niet bij me opgekomen. Arme Suze, arme drommel...'

Zijn hulpeloze blik raakte Tica diep en deed haar troostend zeggen: 'Je moet je niet al teveel zorgen over haar maken, ze is momenteel veilig.'

'Jawel, maar voor hoelang? Eens komt hij weer vrij en dan, Tica, is Suze daar in dat huis niet meer veilig!'

'Daar heb ik ook al aan gedacht. Maar daar hoef jij je geen zorgen over te maken, want ik heb al besloten dat ik haar, als het echt niet anders kan, desnoods bij mij in huis neem. Voor tijdelijk, dát vooropgesteld, totdat ze zich op de een of andere manier zelf zal kunnen redden. Wat kijk je me nou aan, of wou jíj soms de deur van je huis weer voor haar openzetten?'

Felix schudde vertwijfeld zijn hoofd. 'Nee, dat kan ik niet maken. Voor Davina in de eerste plaats niet, maar ook om een andere reden...'

Die ken ik, schoot het door Tica heen. Evelien zal het je niet in dank afnemen als zij jou en je huis moet delen met je ex-vrouw. Ik zou er vermoedelijk geen moeite mee hebben als Suze hier een logeerkamer kreeg toegewezen.

Ze werd uit haar gepeins terug geroepen naar de werkelijkheid toen ze Felix bewogen hoorde zeggen: 'Ik waardeer het bijzonder dat Manon en jij Suze te hulp zijn geschoten. Ik vraag me alleen koortsachtig af wat ík voor haar kan doen. Móet doen...'

Daarop zei Tica, en ze keek hem er indringend bij aan: 'Ik ben bang dat jij in het belang van Davina niets zult kúnnen doen. Ze is jouw dochter, je moet het dus helemaal zelf weten, maar volgens mij mag zij voorlopig niet weten wat er met haar moeder en Sjef de Noord aan de hand is. Haar vroegere angst voor de man zou weer vat op haar kunnen krijgen en hoe moet zo'n jong kind omgaan met het gegeven dat haar moeder stelselmatig door die ploert is afgetuigd? Ik zou je haast willen smeken: vertel het haar voorlopig niet...'

Toen Felix zag dat haar grote, groene ogen verdacht vochtig werden, zei hij ontroerd: 'Ik wist dat jij veel om mijn dochter geeft, echter niet dat je ook echt van haar houdt. Davina's welzijn is jou alles waard en dat kan alleen maar met oprechte liefde van doen hebben. Wat kan ik nu anders dan jouw wijze raadgevingen ter harte nemen? Je kunt gerust zijn, want net als jij zal ik behoedzaam waken over Davina's welzijn. Niettemin heb ik verschrikkelijk met Suze te doen. Heeft ze eigenlijk naar Davina of naar mij gevraagd?' Tica vergoelijkte Suzes houding door te zeggen: 'Nee, maar ik denk dat we haar dat maar niet kwalijk moeten nemen. Ze had meer dan genoeg aan zichzelf.' Maar dan nog, dacht ze er stil achteraan, zou elke moeder toch willen weten hoe haar kind het maakt.

Dat Felix te kampen had met heel eigen problemen, liet hij merken door te verzuchten: 'Al mijn goede bedoelingen ten spijt heb ik vroeger schromelijk jegens Suze gefaald. En nu heb ik het gevoel dat ik diezelfde fout nog eens maak. Ik hou niet meer van haar, dat gevoel kan ik met de beste wil van de wereld niet meer voor haar oproepen. En misschien is het, achteraf bezien, wel zo dat ik nooit echt van haar gehouden heb. Zou het mogelijk zijn dat ik haar van af het allereerste begin in bescherming nam door louter diep mede-lijden? Dat gevoel overheerst ook nu al mijn denken en doen, maar wat moet ik ermee?'

Felix' wanhoop wakkerde Tica's liefde voor hem aan. Ze moest kracht en nuchter verstand samenbundelen om haar gevoelens voor hem te verbergen, om zo gewoon mogelijk te kunnen zeggen: 'Laat Suze maar aan mij over, dat is voor jou het beste. Ik heb vandaag het gevoel gekregen dat ik positieve invloed op haar kan uitoefenen. Ik heb je zojuist immers verteld dat ze me heeft beloofd het huis te zullen opruimen en schoonmaken! Het is mijn vak kinderen te onderrichten, ik hoop dat het mij met dit "grote kind" ook zal luk-ken. Ik zie het in ieder geval als een uitdaging!'

Felix' stem klonk schor van bewogenheid toen hij zei: 'Bedankt, Tica, voor je lieve zorg voor Suze...'

Op dat moment kreeg Tica de haast onbedwingbare neiging op

hem toe te snellen. Ze zou haar armen om zijn nek willen slaan en hem kussen, troosten en liefhebben. In plaats daarvan zei ze met een lichte hapering in haar stem: 'Ik uhh... stap weer op, ik heb thuis nog het een en ander te doen.'

Hij keek teleurgesteld. 'Wat jammer nou! Wil je niet blijven tot Davina en Evelien er zijn?'

'Nee, liever niet...' Ze stond gehaast op en kon niet nalaten te zeggen: 'Niet te veel piekeren, hoor! Je moet maar zo denken: komt tijd, komt raad.' Toen ze hem in het voorbijgaan werktuiglijk over zijn wang streek, had ze er geen flauw idee van wat dat liefdevolle gebaar van haar hem deed.

Hoewel Tica ervan overtuigd was dat er iets groeide tussen Evelien en Felix, bleek ze toch helemaal op het verkeerde been gezet te zijn...

Maanden gingen voorbij. Het natte voorjaar ging over in een warme, droge zomer. Een zomer waarin veel gebeurde...

10

OP EEN AVOND IN DE HERFST, TEGEN HALF TIEN, STOND EVELIEN
bij Tica voor de deur. 'Ik kom even bij je buurten, of heb je geen
tijd?'
'Voor jou altijd, we hebben elkaar de laatste tijd nauwelijks gezien
of gesproken, kom gauw binnen,' zei Tica.
Evelien trok haar jas uit, in de huiskamer huiverde ze: 'Brr, wat heb
ik een hekel aan dit kille, koude weer!'
'Tja, wat wil je, het is oktober en dan kun je niet meer de warmte
verwachten van de maanden die achter ons liggen. We hebben weliswaar een nat en troosteloos voorjaar gehad, maar daar volgde een
lange, hete zomer op.'
Met een zachte glans in haar ogen zei Evelien: 'Vanwege het goede
dat de zomer mij heeft gebracht, zal die nog lang in mijn geheugen
blijven!'
Tica had voor hen beiden een glas wijn ingeschonken, toen ze weer
was gaan zitten, zei ze welgemeend warm: 'Het doet me goed jou
zo gelukkig te zien! Ik heb je grote liefde inmiddels een keer mogen
ontmoeten en ik moet zeggen dat ik Guus van der Plas een aardige, sympathieke man vind. Het kan anders raar lopen in het leven,
want...' Evelien meende te weten waar Tica op doelde en onderbrak
haar. 'Nou, zeg dat wel! Ik was destijds al dolgelukkig dat ik eindelijk weer een leuke baan gevonden had. Dat mijn nieuwe baas, tot
wie ik me direct aangetrokken voelde, al snel ook meer in mij bleek
te zien dan een werkneemster, is voor mij haast een sprookje. Ja, wat
jij zei is waar: Guus is een schat van een man met een hart van goud.
Dat vind jij overdreven, daarom schiet jij in de lach, maar het is echt
zo! Anders zou hij toch niet zo gulhartig hebben gereageerd toen ik
hem vertelde over Felix, Giel en Joosje? Toen hij besefte dat die
mensen het zonder mijn hulp niet konden stellen, zei Guus dat hij
zich nog wel even zonder mij kon redden. De vrouw die ik bij Guus

op kantoor zou opvolgen, had haar ontslag ingediend omdat zij vond dat ze na vierenvijftig jaar lang genoeg had gewerkt en daar was haar man het roerend mee eens. Ze had gelukkig geen haast, want toen Guus haar vertelde waarom ik niet onmiddellijk beschikbaar kon zijn, beloofde zij tot zolang op haar post te zullen blijven. Het zag er toen al naar uit dat het niet lang meer zou duren voordat Giel voor honderd procent genezen zou worden verklaard, dus het was allemaal te overzien. Maar ik kon van vreugde wel een gat in de lucht springen toen Giel een maand daarna het verheugende nieuws van zijn arts te horen kreeg dat hij weer volle dagen mocht gaan werken. Dat was niet alleen voor hem geweldig, we waren er allemáál mee geholpen. Joosje kwam weer als vanouds voor Davina zorgen zoals je weet en ik kreeg een vaste plek aangeboden op het kantoor van Guus van der Plas. Ik hoefde mijn hand gelukkig niet langer op te houden, maar mocht weer een eerlijk verdiend maandsalaris ontvangen. Van hem erg graag mogen werd ik verliefd op mijn lange, magere baas, en hij op mij. Vreemd nietwaar, dat je leven zo heel onverwacht zo'n grote ommekeer kan maken?'

Tica beaamde dat, waarna zij meende: 'Volgens mij duurt het niet lang meer voordat jullie gaan samenwonen of trouwen. Je bent nu al meer bij hem dan hier in de flat en dat is er de oorzaak van dat wij elkaar bijna niet meer zien.'

'Ik had het zelf niet zo in de gaten, maar nu jij het zegt, spijt het me dat ik vroegere contacten een beetje laat verwateren. Ik zie en spreek Felix ook nog nauwelijks en dat is van mijn kant niet goed te praten. Maar ja, wat wil je als ik telkens als een magneet naar Guus word getrokken? We hebben inderdaad al over trouwen gesproken, maar tot nog toe is het daarbij gebleven. Hoewel we honderd procent zeker van elkaar zijn, willen we de dingen toch liever niet overhaasten.'

Tica zei: 'Het zal voor Guus zijn tweede huwelijk worden, je hebt me in het begin verteld dat zijn eerste vrouw is overleden. Ze was ziek, hè?'

'Ja. Het is inmiddels alweer een paar jaar geleden, maar Guus praat nog steeds graag over haar en als hij het niet doet, moedig ik hem ertoe aan. Zo zorgen wij er samen voor dat zij niet vergeten kán worden. Wist jij overigens dat Joosje de hele tijd in de vaste veronderstelling verkeerde dat er iets tussen Felix en mij was? Dat vertelde ze me van de week pas door de telefoon en ik wist echt niet wat ik hoorde!'

'Hoezo, valt er iets op Felix aan te merken dan?'

'Nee, natuurlijk niet. Om te zien is hij veel knapper dan Guus, maar het uiterlijk van een mens doet er voor mij niet toe. Felix is een hartstikke fijne vent, maar niet mijn type en dan houdt alles op. Ik mis Davina wel vaak. Zij is een echte schat, we konden het samen goed vinden en hebben heel wat gelachen samen. Het huwelijk van Guus en Hanna is tot zijn verdriet kinderloos gebleven, ik hoop dat ik hem in de toekomst een of meer kinderen zal mogen schenken. Het lijkt mij echt geweldig mooi, een kind te krijgen van de man die je boven alles liefhebt. Guus is al veertig, acht jaar ouder dan ik. Hij zal geen piepjonge vader zijn, maar dat zie ik niet als een belemmering. Stoort het je niet dat ik zo over mezelf zit te kletsen?' liet ze er vragend op volgen.

Tica zond haar een ontwapenende lach. 'Nee, integendeel, ik geniet ervan dat jij me op de hoogte brengt van je geluk. Ik gun het je van harte! Maar desondanks denk ik nog weleens terug aan de tijd toen we allebéi vrijgezel waren en jij meer tijd voor me had dan nu. Ik blijf op deze manier een beetje alleen over.'

Tica lachte erbij, Evelien meende echter een vleugje teleurstelling bij haar te bespeuren en dat deed haar zeggen: 'Joosje wilde mij kennelijk aan Felix koppelen, maar is hij geen goede partij voor jóu? Jij bent stapeldol op Davina en dat alleen al is erg belangrijk!'

Er verscheen een warme gloed in Tica's ogen toen ze bekende: 'Ik hou gewoon ontzettend veel van dat kleine meiske. Ze is na de zomervakantie naar groep zes gegaan en dat betekent dat ik haar niet meer bij me in de klas heb. En hoewel ik inmiddels alweer helemaal aan mijn nieuwe klasje gewend ben, de kinderen weer weten wat ze aan mij hebben en ik aan hen, mis ik Davina...'

'Jouw band met Davina is bekend, maar hoe staat het met Felix, zie je echt niets in hem? Sorry dat ik erop doorga, maar ik zou jou ook zo graag gelukkig zien in de liefde.' Evelien keek haar vriendin nieuwsgierig aan en die blik deed Tica besluiten een tipje van de sluier voor haar op te lichten.

'Zodra ik hem zie of enkel zijn stem door de telefoon hoor, krijg ik last van hartritmestoornissen...'

Dat Evelien snel van begrip was, liet ze merken door vast te stellen: 'Je houdt dus van Felix! Nou zeg, dat had je me wel wat eerder mogen vertellen. Mooie vriendin ben jij!'

'Wat zou ik ermee opgeschoten zijn? Hij houdt niet van mij. In tegenstelling tot jouw verhaal heeft dat van mij geen happy end. En dan valt er weinig te vertellen, ook niet aan jou dus.'

'Hoe weet je dat Felix niets in jou ziet? Heb je weleens een poging ondernomen om hem daarover te polsen?'

'Nee, natuurlijk niet, ik ga mezelf toch zeker niet aanbieden! Bij mij zit het er muurvast ingeroest dat een man het initiatief moet nemen. Dat doet Felix dus niet en daar is voor mij alles mee gezegd. En jij moet me beloven, Evelien, dat je niets aan Felix laat merken over wat ik je in vertrouwen heb verteld! Daar moet ik op kunnen rekenen, hoor!'

Evelien zond haar een verontwaardigde blik. 'Zijn wij nou vriendinnen of niet! Ik vind het gewoon heel erg sneu voor je. Een onbeantwoorde liefde, daar zit immers geen vrouw op te wachten?'

Tica haalde haar schouders op. 'Ik zal het ermee moeten doen, het is niet anders. En ik zal er niet aan onderdoorgaan, want ik heb gelukkig mijn werk en daardoor voldoende afleiding. Daar komt bij dat ik regelmatig naar Suze toe moet, ik heb haar destijds beloofd haar niet in de steek te zullen laten en daar hou ik me aan. Vroeger zagen Manon en ik elkaar hooguit eens per jaar, door toedoen van Suze nu beduidend vaker!'

Evelien keek schuldbewust toen ze zei: 'Ik weet dat Sjef de Noord toentertijd, tegen ons aller verwachtingen in, slechts negen maanden gevangenisstraf heeft gekregen. Maar hoe het verder met Suze is gegaan daar weet ik bitter weinig van. Ik moet me geloof ik, een beetje schamen.'

Een beetje boel, dacht Tica, maar ze zei: 'Ach, Suze, zij is en blijft een geval apart. Om een beetje controle op haar te kunnen blijven uitoefenen, wilde Felix hier in de stad indertijd voor haar een huis of een flatje huren, maar dat pakte heel anders uit. Toen Suze destijds weer wat van de schrik bekomen was, kreeg ze algauw heimwee naar Sjef. Vrij kort na zijn arrestatie is ze hem al gaan opzoeken en hij schijnt toen met zijn hand op het hart aan haar beloofd te hebben dat als hij vrijkwam, hij haar nooit meer zou slaan. Het is voor ons totaal onbegrijpelijk dat Suze zijn mooie praatjes voor zoete koek slikt, wij geloven er in ieder geval geen woord van. Maar wij kunnen doen en zeggen wat we willen, zij blijft volhardend bij haar besluit. Ze wil per se in het huis van Sjef blijven, ze wacht vol ongeduld tot hij op vrije voeten wordt gesteld. Het zal van haar kant dan kennelijk toch liefde voor hem zijn en daar staan wij machteloos tegenover. Felix kan nu niet meer voor haar doen dan haar financieel een beetje steunen. Zonder die hulp van hem zou Suze het erg krap hebben nu het inkomen van Sjef is komen te vervallen. Zolang hij gevangen zit, wil Felix voorkomen dat Suze gebrek zal moeten lijden. Heb ik je met dit verhaal weer een beetje op de hoogte gebracht?'

Evelien knikt en zei bedachtzaam: 'Het is Felix ten voeten uit om zijn ex ondanks alles toch te blijven helpen. Ik heb er mijn bedenkingen echter over, ik vind het raar dat hij Suze nog steeds niet kan loslaten.'

'Hij heeft medelijden met haar, niet meer dan dat. Felix onderhoudt geen persoonlijk contact met Suze, hij helpt haar vanachter de schermen zoveel het in zijn vermogen ligt. Dat doe ik ook, meer kunnen we niet voor haar doen. Overmorgen, zaterdag, ga ik weer naar Manon en dan wip ik gewoontegetrouw ook even bij Suze aan om te zien hoe ze het maakt.'

'Ik neem mijn petje voor je af,' zei Evelien in volle ernst. 'Want als ik terugdenk aan wat jij al met haar te stellen hebt gehad, durf ik gerust te beweren dat er niet veel zijn die jou dit nadoen.'

'Het heeft ook plezierige kanten die je proestbuien van het lachen bezorgen,' zei Tica. Ze lachte vermaakt toen ze vertelde over de inspecties die zij quasi-serieus had uitgevoerd. 'De allereerste keer toen ik ging kijken of Suze d'r woord hield, was zij bezig met een natte prop keukenpapier over de ramen te vegen. Toen ik vroeg wat ze in vredesnaam aan het doen was, zei ze doodleuk: "Dat zie je toch, ik ben aan het ramen zemen. Ik had er een voorgevoel van dat je zou komen en daarom staat het zweet me nu op de rug." Je houdt het niet voor mogelijk,' verzuchtte Tica, 'maar ze kan echt niets, ik moet haar alles leren. Dat ze de bonte en witte was gescheiden in de machine moet doen, hoe ze stof moet afnemen in plaats van met de stofdoek op de meubels te slaan. Suze merkt af en toe dat ik in een deuk lig om haar mal gedoe, want toen dat onlangs weer het geval was, zei ze: "Ja, jij lacht je slap om mijn geploeter, maar ik word er doodmoe van. Kijk dan zelf, het zweet staat op mijn voorhoofd!" Dan krijg ik weer medelijden met haar, maar al met al doet zij haar best en mag ik zeggen dat mijn inspanningen lijken te worden beloond.'

Evelien keek bedenkelijk toen ze opperde: 'Volgens mij mag jij je weleens afvragen waar je aan begonnen bent, want zolang Sjef de Noord achter de tralies zit, komt er voor jou geen eind aan.'

Daarop zei Tica blozend: 'Ik doe het niet alleen voor Suze, misschien wel meer voor Felix. Hij maakt zich zorgen over Suze en op deze manier hoop ik die een beetje voor hem te kunnen verlichten. Ik moet toch íets doen met mijn liefde voor hem?'

'Het is meer dan spijtig voor Felix,' vond Evelien, 'dat hij maar niet inziet hoeveel jij hem te bieden hebt. En dan heb ik het nog niet eens over Davina, zij zou met jou de moeder krijgen die ze nodig heeft. Het is toch zeker zo dat je gerust mag stellen dat Suze geen moeder is?'

Tica keek verdrietig toen ze zei: 'Het is ten hemel schreiend zoals Suze met Davina omgaat. Ik heb Davina een keer meegenomen toen ik naar Manon ging en we terloops een bezoekje brachten aan Suze. Nou, dat werd bepaald geen succes. Moeder en dochter, ze zijn gaandeweg van elkaar vervreemd, dat merkte ik toen Davina verlegen naar mij opkeek en Suze haar kind niet omhelsde, maar bleef staan waar ze stond. Vanaf die plek zei ze tegen Davina: "Ik ken je haast niet meer, zo groot ben je geworden. Je zou eigenlijk weer bij mij moeten komen wonen, dan kon je me met een heleboel dingen helpen. De boel schoonmaken en boodschappen doen, dat zou mij een enorm stuk schelen!"'

Tica schudde verbijsterd haar hoofd toen ze verderging: 'Davina stond tegen mij aangedrukt, ik voelde dat er een siddering door haar lijfje trok bij de gedachte dat ze weer alleen dat dorp in zou moeten, ze heeft er zulke nare herinneringen aan. Het is logisch dat alles van vroeger weer bij het meisje bovenkwam: de pestende kinderen, de pijn en vernederingen die zij toen moest doorstaan. Daar stond Suze dus geen moment bij stil en dat bewijst al wel dat ze zich weliswaar moeder mag noemen, maar het zeer zeker niet is. Davina was niet zichzelf, ze was tot het uiterste gespannen, en toen we na een halfuurtje door het dorp terugliepen naar het huis van Manon, fluisterde ze met een bleek, vertrokken snoetje: "Ik ben hier buiten weer net zo bang als eerst en bij mamma in huis was ik ook bang.

Ze zei immers dat ik bij haar moest komen wonen, maar dat wil ik niet. Want dan stuurt ze me weer om een boodschap en begint alles opnieuw. Als ik thuis ben, vraag ik aan pappa of ik nooit meer naar mamma toe hoef. Waarom moest ik vandaag per se mee, juf Tica?" Nou, daar sta je dan als volwassen vrouw met je mond vol tanden. Ik kon mezelf wel voor het hoofd slaan dát ik haar mee had genomen. Op haar vraag, zo verwijtend gesteld, heb ik gezegd dat ik dacht dat ze haar moeder graag een keertje zou willen zien. Toen keek dat kleine vrouwtje naar me op als wilde ze zeggen: Jij bent gek! Op dat moment had Davina al het gelijk van de wereld,' besloot Tica.

'Weet Davina wat er is gebeurd, waarom Sjef de Noord achter slot en grendel zit?'

'Nee, Felix heeft het kind verteld dat de man voor onbepaalde tijd in het buitenland verblijft. Dat hij daar werk moet verrichten en dat hij terugkomt als de klus is geklaard. Felix vroeg zich af of het goed was wat hij had gezegd, ik vind, en heb dat ook tegen hem gezegd, dat hij zijn hoofd niet moet breken over een leugentje om bestwil. Davina moet in bescherming worden genomen en vanwege dat feit wil Felix niet dat zij nog eens naar het dorp zal moeten waar zij angstaanjagende herinneringen aan heeft. Davina is er gelukkig mee en Suze heeft tot dusverre niet gevraagd waarom ze haar kind niet meer te zien krijgt. Ze mist Davina niet, Sjef daarentegen wel. Ze reist trouw eens per week met de bus naar hem toe, ze is schijnbaar vergeten hoe ze door die man in elkaar is geramd, want daar praat ze niet meer over.'

'Ik kan me absoluut niet voorstellen,' zei Evelien, 'hoe het denkvermogen van die vrouw in elkaar steekt. Jij wel?'

'Nee, maar daar wil ik me op het moment ook niet verder in verdiepen. Het is voor mij bedtijd! Ik hoop dat je mijn hint hebt opgevangen en zo niet, dan moet ik je helaas de deur wijzen. Ik heb mijn slaap nodig, 'k moet morgen weer vroeg op en ik wil toch wel heel graag fit voor de klas staan. Je vindt het niet erg toch, dat ik zo ongastvrij moet zijn?'

'Dat moest er nog bij komen! Ik heb in het verleden ook weleens iets dergelijks tegen jou gezegd als jij naar mijn smaak te lang bij mij bleef plakken. Het gelijk is geheel aan jouw kant, ik had uit mezelf eerder moeten opstappen.' Hierna stonden ze gelijktijdig op. Tica liet haar vriendin uit en nadat ze als gewoonlijk hartelijk afscheid hadden genomen, zei zij: 'Groet Guus van me en nogmaals: ik wens jou en hem onzegbaar veel geluk!'

Evelien keek bedrukt toen ze de wens uitsprak: 'Ik wou dat ik hetzelfde tegen jou kon zeggen!'

Tica glimlachte. 'Maak je om mij maar niet druk, ik zeg altijd maar zo: als je het verdient, wordt er vanzelf iets goeds op je pad gelegd dat het oprapen waard is.'

Kort hierna kroop ze in bed en bedacht ze met minder vertrouwen: Ik twijfel er niet aan dat God het goede met me voor heeft, maar als Felix niet meewerkt, staat Hij er volgens mij ook machteloos tegenover.

De daaropvolgende zaterdag stond Tica tegen koffietijd bij Manon voor de deur. Na de koffie gebruikten ze een lichte lunch en ze raakten als gewoonlijk niet uitgepraat. Op een gegeven moment zei Manon: 'Ik begrijp dat je zo dadelijk naar Suze toe wilt. Normaal zou ik met je meegaan, maar ik heb nog een berg strijkgoed dat moet worden weggewerkt. Als je de hele week buiten de deur werkt, blijven dergelijke klussen voor de zaterdag liggen.'

'Vertel mij wat!' lachte Tica. Waarop Manon voorstelde: 'Als je na je bezoek aan Suze bij mij terugkomt, zorg ik ervoor dat er een lekker potje op tafel staat!'

'Dat klinkt zeer aanlokkelijk, maar ik heb gisteravond door de telefoon aan Felix beloofd dat ik na mijn bezoek aan Suze even bij hem langs zou komen. Ik heb gezegd dat hij me tegen zes uur kon verwachten en daarop beloofde hij klaar te zullen zitten met soep en een boerenomelet, en dat klonk ook niet gek. Ik kan moeilijk aan twee tafels tegelijk aanschuiven, toch?'

'Ga maar naar Felix en probeer hem de ogen te openen,' zei Manon. Tica lachte. 'Ik hoor de laatste tijd niets anders! Evelien zei ook al iets dergelijks. Jij weet het allang, maar ik heb het van de week pas tegen haar verteld dat ik mijn hart op een hopeloze manier heb verloren. Net als jij adviseerde Evelien me dat ik Felix moet polsen over zijn gevoelens voor mij, maar dat doe ik dus mooi niet. En nu wil ik niet langer over hem praten, ik ga zijn ex-vrouw opzoeken. Ik heb de vorige keer een eenvoudige, makkelijk leesbare meisjesroman voor haar meegebracht en gezegd dat ze die moest lezen. Ik ben benieuwd of ze "het huiswerk" dat ik opgaf, gemaakt heeft. Maar dat hoor je nog wel door de telefoon. Ga nu maar lekker strijken en geniet morgen van je vrije zondag!'

De vrouwen namen afscheid van elkaar en niet lang hierna belde Tica aan bij het huis van de man wiens naam haar nog altijd een bittere smaak in de mond gaf. Toen Suze de deur opende, begroette ze Tica niet, maar zei ze ietwat bestraffend: 'Ik vind het niet leuk dat je altijd onverwacht voor de deur staat. Als ik het van te voren had geweten, zou ik de thee klaar hebben, dat moet ik nu gehaast gaan zetten.'

'Nee hoor, je hoeft je niet te haasten, want ik heb bij Manon zoveel gekregen dat ik nu eventjes niets hoef.'

Suze slaakte een zuchtje van verlichting. 'O, nou dat komt mij goed uit! Gemak dient de mens, zeg ik altijd.'

In de huiskamer keek Tica gewoontegetrouw om zich heen. Ze zag dat het vertrek weliswaar opgeruimd was, maar er zeker niet blinkend schoon uitzag. Haar keurende blik was Suze niet ontgaan en zij haastte zich te zeggen: 'Ik ben er van de week niet aan toe gekomen, maar je hoeft niet bang te zijn, want morgen ga ik stoffen en zuigen!'

Tica keek haar indringend aan. 'Op zondag?'

'Ja, waarom niet. Jij moet op zondag naar de kerk en verder mag je niks doen, maar ik kan lekker doen wat ik zelf wil. Dat is wel zo gemakkelijk!'

Laat maar, bedacht Tica. Het thema geloof had ze meerdere keren proberen uit te diepen, maar ze schoot er niets mee op. 'Hoe is het, heb je het boek al uit dat ik je de vorige keer heb gegeven?'

'Ja, maar ik hoop dat je niet weer zo'n dikke pil bij je hebt! Ik krijg zere ogen van het lezen en ook nog eens koppijn.'

'Vond je het wel een mooi verhaal?' polste Tica omdat ze er niet zeker van was of Suze het inderdaad gelezen had.

'Jawel. Het ene meisje werd verliefd, maar die jongen ging toen met haar beste vriendin. Dat vond ik zo zielig dat ik ervan moest huilen. Ik huil ook altijd met Sjef als ik bij hem ben. Eergisteren ben ik weer bij hem geweest...'

'Het is een heel gereis voor je, word je daar niet moe van?'

'Nee, want in de bus kan ik gaan zitten slapen. Ik vind het vreselijk zielig dat Sjef opgesloten moet zitten. Sjef zegt dat hij het bijna niet vol kan houden, maar dat het zijn verdiende loon is. Hij zegt dat hij in zijn cel niet anders doet dan nadenken. En nu hij het zonder mij moet stellen en hij me erg mist, is hij gaan inzien dat hij meer van me houdt dan hij ooit zelf heeft geweten. Hij heeft er ontzettend veel spijt van wat hij mij heeft aangedaan.'

'Maar dat wás ook heel erg! Je bent toch niet vergeten, Suze, hoe hij jou keer op keer te grazen heeft genomen?'

'Nee, maar nu ik weet dat hij echt van me houdt wil ik dat vergeten. Sjef zegt dat hij in de gevangenis zichzelf heeft leren kennen en dat hij alles voor me zal goedmaken. Als hij vrijkomt, gaan we het allemaal heel anders aanpakken, zegt Sjef. Dan gaat hij mij, maar ook de mensen uit het dorp laten zien dat hij als een beter mens op vrije voeten is gekomen.'

Omdat zij bleef twijfelen aan de haast te mooie beloftes van Sjef de

Noord, haalde Tica haar schouders erover op en zei enkel: 'We zullen het hopen.' Hierna gaf ze het gesprek een wending door te informeren: 'Ik heb de vorige keer tegen je gezegd dat je de keuken een goede beurt moest geven, heb je dat gedaan?'

'Ja, wat dacht je dan! Als ik niet doe wat jij zegt, kom je niet meer bij me en dát zou ik pas erg vinden! Kom maar mee kijken, dan kun je zelf zien hoe goed ik het houtwerk heb gesopt!'

Tica volgde haar naar de keuken en daar vertelde Suze kinderlijk trots: 'Ik heb het gedaan zoals jij het me hebt geleerd: alles met een sopdoek natgemaakt en met een theedoek weer afgedroogd. Goed van mij, hè?'

Tica knikte, maar toen ze werktuiglijk het onderste kastdeurtje van het aanrecht opentrok, schrok ze. 'Wat is dit, in vredesnaam! Het lijkt wel alsof je de afwas van de hele week erin hebt gepropt!'

Daarop zei Suze doodgemoedereerd: 'Dat is ook zo. Mijn moeder zegt altijd dat kasten niet voor niets deuren hebben. Het betekent dat je ze vanbinnen niet schoon hoeft te maken, want zodra je de deur dichtdoet, zie je er toch niets van. En om dezelfde reden kun je er van alles instoppen, dan ben je het maar kwijt. Ik vind het slim van mijn moeder.'

'Je zou haar voorbeeld liever niet moeten opvolgen. Je hebt mij teleurgesteld, want zo hadden we het niet afgesproken. Ik heb tegen je gezegd dat je na elke maaltijd meteen moet afwassen, dan hoopt het zich niet op. Als ik naar de inhoud van het aanrechtkastje kijk, is er al bijna geen doorkomen meer aan. Maar wie ben ik om jou de les te lezen, het is tenslotte jouw huis,' besloot Tica met een moedeloze zucht.

Die ontging Suze, zij had ondertussen een plannetje bedacht. 'Nu je hier toch bent, kunnen we wel even samen gaan afwassen!'

'Dát zou jij wel willen, maar daar peins ik niet over! Ik wil je overal mee helpen, maar ik voel me niet geroepen jouw vuile troep op te ruimen. Het valt me tegen dat je de boel toch weer laat verslon-

zen en ik vraag me af waarom ik me eigenlijk nog voor je inspan.'
Toen Suze merkte dat Tica echt ontevreden over haar was, probeerde ze iets goed te maken en zei ze bijna triomfantelijk: 'Ik doe heus wel mijn best! Want omdat jij zei dat het niet goed voor me is, drink ik al heel lang geen cognacjes meer! Jij hebt ook gezegd dat ik zo veel mogelijk moet lezen, omdat je daarmee je hersenen scherpt. Zoiets zei jij, precies weet ik het niet meer. Nou, dát doe ik wel, want ik lees alle reclamefolders die in de bus worden gestopt. En in de krant lees ik de doodsberichten!'

Tica schoot ongewild in de lach. 'Nou, kijk eens aan, ergens doe je dus toch je best!' Met een blik op haar horloge liet ze erop volgen: 'We hebben elkaar weer even gezien en gesproken. Het is ditmaal een kort bezoekje geweest, maar ik moet echt weer opstappen. Ik heb Felix namelijk beloofd dat ik nog even bij hem langs zou komen. Moet ik hem de groeten van je doen, hem namens jou bedanken voor de zorg die hij aan je besteedt?'

'Ja, dat mag wel,' zei ze lauw. En alsof haar ongeïnteresseerdheid tot haar doordrong, zei ze erachteraan: 'Het is lief van Felix dat hij elke maand een bedrag aan mij overmaakt. Maar ja, anders zou ik me immers niet kunnen redden.'

In de auto, op de terugweg, bedacht Tica onder meer: Je hebt het vroeger goed gedaan, hoor Felix. Jij gaf Davina al je zorg en aandacht zodat zij haar voordeel ermee kon kon. Aan Suze zou het verspilde tijd en moeite zijn geweest, want zij is werkelijk onverbeterlijk.

Ziezo, dacht Felix, de tafel staat gedekt, de soep is klaar, de omelet kan ik pas op het laatste moment bakken. Wat mij betreft mag ze komen, de vrouw van mijn dromen. Er verscheen een lachje op zijn gezicht toen hij hoorde dat hij stond te rijmen, meteen daarop foeterde hij op zichzelf: je zou je gezonde verstand niet steeds moeten uitschakelen! Jawel, dacht Felix, maar dat is gemakkelijker gezegd dan gedaan. Dat malle hart van hem dreef hem soms bijna tot wanhoop. Hij wist dat het slecht voor hem was van een vrouw te houden die, nogal begrijpelijk, niets in hem zag. Hij kon zich er echter niet tegen verweren, in plaats daarvan ging hij steeds meer van Tica houden. Straks zou ze met hem en Davina aan tafel zitten, daarna zou ze hopelijk nog een poosje blijven en ondertussen zou hij zijn best moeten doen om zijn liefde voor haar te verbergen. Het was bepaald geen gemakkelijke opgave en als hij bedacht dat hij geen verandering in de situatie mocht verwachten...

Toen hij op dat moment zag dat Tica haar auto behendig de oprit op stuurde, verbrak hij zijn gemijmer en haastte hij zich naar de voordeur. Nadat ze elkaar als altijd met een kus op de wang hadden begroet, wees Felix op de klok en zei prijzend: 'Je bent een vrouw van de klok, het is precies zes uur!'

'Ik heb het allemaal een beetje uitgekiend,' zei Tica lachend. 'Ik ben niet al te lang bij Manon blijven plakken en Suze heb ik slechts een vluchtig bezoekje gebracht. Bij haar ben ik hooguit een halfuur geweest. Waar is Davina?' liet ze er in één adem op volgen.

Felix vertelde dat zij op haar kamer aan het spelen was. 'Het verbaast me dat ze je auto niet heeft gehoord, want dan zou ze al naar beneden zijn komen stormen. Wil je eerst iets drinken of liever meteen aan tafel? De ingrediënten voor de omelet staan klaar, die is straks in een ommezien gebakken.'

'Als jij dat klusje klaart, laat ik Davina weten dat ik er ben.' Tica voegde de daad bij het woord en beklom de trap naar boven. Toen ze Davina's kamer binnenstapt, kreeg ze een stralende lach van het meisje. 'Het is een verrassing, want ik wist niet dat juf er al was!'

Tica sloeg haar armen om Davina heen, ze kuste haar als altijd waarna ze zei: 'Ga je mee naar beneden? Jouw pappa heeft het eten bijna klaar en dat komt goed uit, want mijn maag voelt helemaal leeg!'

Kort hierna zaten ze aan tafel en omwille van Davina informeerde

Felix niet naar Suze, maar voerden hij en Tica vluchtige gesprekjes zonder diepgang. Dat dit Davina op heel andere gedachten bracht, beseften ze toen zij totaal onverwacht vaststelde: 'Nu wij zo gezellig samen zitten te eten, lijken wij net een vader en moeder en een kind! Ik wou dat het echt zo was!'

Vanzelfsprekend bracht ze er zowel Felix als Tica mee in verlegenheid. Felix wist niet waar hij kijken moest, Tica wist alleen maar te zeggen: 'Ach, meisje... wat zeg je nou toch allemaal.'

Daarop diende Davina haar van repliek: 'Juf weet best hoe graag ik het zou willen! Ik heb immers een keer verteld dat ik er heel vaak over droom als ik gewoon wakker ben. Was juf dat vergeten dan?'

'Ja, nu je het zegt, herinner ik het me weer.' Stil dacht Tica erachteraan: De wensdroom van een kind... Ach, schatje, je zou eens moeten weten hoe graag ik die wensdroom van jou zou willen waarmaken. Want dan zou ik zelf ook niet meer hoeven te dromen als ik klaarwakker ben.

Uit Tica's stilzwijgen, haar gebogen hoofd, meende Felix te kunnen begrijpen dat Davina de sfeer voor haar had bedorven. Hij gaf zijn dochter een standje. 'Je moet niet van die rare dingen zeggen, wat moet juf Tica wel niet van je denken!' Hierna gaf hij het gesprek een wending, maar het bleef allemaal wat stroefjes. En ook later, toen Davina al in bed lag, wilde het gesprek tussen hem en Tica niet meer vlotten.

Ze zaten allebei naar woorden te zoeken totdat het tot Felix doordrong dat hij nu zonder bezwaar naar Suze kon vragen. Dan hadden ze tenminste een onderwerp en zou hij niet meer met kromme tenen hoeven te zitten. 'Je zei dat je maar kort bij Suze was geweest, was dat alleen omdat je de tijd in de gaten wilde houden, of zorgde zij weer eens voor iets opzienbarends?'

De lach die over Tica's gezicht trok, deed Felix goed, hij luisterde aandachtig toen ze hem over haar bevindingen vertelde. Toen het volgepropte aanrechtkastje aan de orde kwam, en Suzes vraag of ze samen konden afwassen, schoot hij net als Tica in de lach. 'Ze is echt onverbeterlijk,' ging Tica verder, 'onderweg naar hier heb ik me af zitten vragen waarom ik me nog langer voor haar zou moeten inspannen. Nu ze weer aan Sjef de Noord is verslingerd, slaat ze zich er op haar manier doorheen. Ze heeft me verteld dat ze elke morgen bij haar moeder gaat koffiedrinken, verder heeft ze de tv waar ze verslaafd aan is en ik weet van Manon dat Suze 's avonds regelmatig bij haar voor de deur staat. Die houdt Manon dan uiteraard niet voor haar gesloten. Zo leeft Suze haar leven en als de rotzooi om haar heen haar niet stoort, wie ben ik dan om me er druk over te maken? Totdat Sjef de Noord vrijkomt, blijf ik haar af en toe een bezoekje brengen, dat heb ik beloofd. Maar ik denk dat ik me niet langer met haar manier van leven mag bemoeien. Wat denk jij, Felix?'

'Ik ken haar als geen ander en dus kan ik jou alleen maar gelijk geven. Suze is die ze is en ze zal niet veranderen. Het was dom van mij dat ik er vroeger heilig van overtuigd was dat ik een ander mens van haar zou kunnen maken. Had ik toentertijd geluisterd naar de vele raadgevingen aan mijn adres, dan zou ik nu mijn eigen hart hebben kunnen volgen...'

'Hoe bedoel je dat?'

Tica blikte vragend naar hem op en zonder het te willen, bromde Felix: 'Ik ben toch warempel niet van steen. Ik heb mijn gevoelens, maar 'k kan er geen kant mee op.'

Dus toch! flitste het medelijdend door Tica heen en zacht zei ze: 'Ik heb de hele tijd gedacht dat er iets moois tussen jou en Evelien was ontstaan. Wat sneu voor je dat jij je vergiste in haar gevoelens jegens jou, maar dat jij nog onverminderd van haar houdt. Dat spijt me echt...'

Felix schudde verbijsterd zijn hoofd. 'Dat anderen zich zo bezighielden met mijn mislukte liefdesleven, heb ik tot voor kort niet geweten. Joosje en Giel, en nu jij ook al, merk ik. Nee, Tica, zoals ik niet het type ben voor Evelien, zo zou ík niet van haar hebben kunnen houden.' Na een korte adempauze, niet meer dan een zucht, besloot hij zijn hart op een kier te zetten en voegde hij eraan toe: 'Evelien lijkt van geen kant op jou en daar is voor mij alles mee gezegd.'

'Waarom zeg je dat er op zo'n eigenaardige toon achteraan... waarom kijk je nu bijna dwars door me heen? Ja, nou, zo voelt die blik van jou die ik niet plaatsen kan... durf.'

'Ik probeer je er iets mee duidelijk te maken wat ik niet meer voor me kan houden omdat ik de strijd ertegen wil opgeven. Ik hou van jóu, Tica, maar ik zal het je niet moeilijk maken, daar kun je gerust op zijn! En als jij na mijn bekentenis besluit dat je zo'n vent als ik nu maar liever niet meer wilt zien, dan zal ik daar begrip voor tonen. Het is voor mij waarschijnlijk zelfs beter dat ik je niet meer zie. Ik hoop tenminste dat het verlangen in mij dan dooft. Nu weet je waarom ik aan jou het achterste van mijn tong liet zien, maar dat had ik me niet van te voren voorgenomen. Ik realiseerde me zojuist dat ik er niet langer meer mee rond kan lopen, want ik kan er voor mezelf niet meer op de goede manier mee omgaan. Begrijp je?'

Tica durfde haar oren nauwelijks te geloven en daarom luisterde ze naar de blijde jubel van haar hart. Die deed haar met blozende wangen zeggen: 'Het is voor mij bepaald geen straf wat jij allemaal zei! En denk maar niet dat ik uit jouw leven stap, Felix Visser, ik kom juist heel dichtbij je, want zo mogelijk hou ik nog meer van jou dan jij van mij...' Al pratende was ze opgestaan en totaal verbouwereerd had Felix haar voorbeeld gevolgd. Tica sloeg haar armen om zijn middel, ze vlijde haar hoofd vertrouwelijk tegen zijn borst en fluisterde: 'Ik hou van je, Felix. Heel veel en al heel lang...'

Felix legde een hand onder haar kin en hief haar gezicht naar hem op. Hij lachte als een overgelukkige jongen toen hij in haar groene ogen keek, vervolgens omsloot hij haar mond en kuste haar hartstochtelijk. 'Ik hou van je, mijn mooi, lief meisje...'

'Ik ook van jou, mijn stoere, lieve man.' Hierna trok ze hem mee naar de bank en kroop dicht tegen hem aan. 'Ik durf het nog bijna niet te geloven. Het is gewoonweg niet te bevatten dat wij nu opeens zo open tegen elkaar kunnen zijn. Wanneer wist jij dat je van me hield, Felix?'

'Al heel lang.' Hij kuste haar voordat hij verderging: 'Herinner jij je nog dat je eens aan mij vroeg of ik soms van plan was Suze weer bij me in huis te nemen en dat ik toen zei dat ik dat voor Davina niet kon maken, maar dat ik er nog een reden voor had? Je begrijpt nu wel dat jij die reden was!'

'Ja, ik herinner me dat gesprek en ik was er toen van overtuigd dat die andere reden Evelien heette. Wat jammer, Felix, dat jij die keer niet open en eerlijk zei dat je van mij was gaan houden. Dan hadden wij eerder gelukkig met elkaar kunnen zijn, het voornaamste voor mij is echter dat we toen al de wensdroom van een kind hadden kunnen vervullen. Ach, die kleine schat,' zei ze met een fluweelzachte blik in haar groene ogen, 'ze sprak haar liefste wens daarstraks aan tafel nog uit. Zullen we haar wakker maken en het haar vertellen?'

'Geen denken aan,' zei Felix resoluut, 'Davina heeft inmiddels al volop liefde van jou gekregen, nu ben ik aan de beurt! En ik voel me geen egoïst, ik dring mezelf willens en wetens op de voorgrond. Je verweet mij daarnet dat ik mijn mond eerder had moeten opendoen, maar realiseer jij je dat ik van jou hetzelfde kan zeggen?'

'Ik heb welbewust mijn lippen op elkaar geklemd weten te houden. Ik ging en ga van het standpunt uit dat de man het initiatief moet nemen. Wat dat betreft heb ik absoluut geen feministische trekjes en ik zal me er niet eens voor schamen als men mij zou aanzien voor iemand uit het jaar nul. Het blijft voor mijn gevoel dus zo het is: dat jij te lang gezwegen hebt. En waarom, vraag ik me af?'

Felix trok een bedenkelijk gezicht. 'Ik vond van mezelf dat ik niet zo'n beste reputatie had. Ik ben een gescheiden man en ik meende wel op mijn vingers te kunnen natellen dat jij je leven zeer zeker niet met zo iemand zou willen delen.'

'Je hebt een schat van een dochter van wie ik oprecht hou. Ik "waak" uit medelijden een klein beetje over jouw ex, dus deelde ik jouw leven al! Dat had jij moeten bedenken, maar dat doet er nu allemaal niet meer toe. We hebben elkaar mogen vinden. Als ik straks thuis ben, ga ik allereerst een mailtje naar Brazilië sturen om pa en ma van mijn geluk op de hoogte te stellen. Ik weet nu al dat ma vreugdetranen zal vergieten! En hoe denk je dat Joosje en Giel en al de anderen op het goede nieuws van ons zullen reageren?' Ze sloeg verwachtingsvol haar ogen op naar Felix, maar toen ze zijn donkere blik zag, doofde haar enthousiasme. 'Wat is er, waarom kijk je opeens zo somber? Heb ik iets verkeerds gezegd?'

'Ja, dat heb je zeker! Je zei zojuist dat je je ouders een mailtje ging sturen zodra je thuis was, en dat laatste stuitte mij tegen de borst. Want hoe kun je nou naar je eigen huis willen terwijl wij een schade-van-heb-ik-jou-daar moeten inhalen!'

'Je lijkt nu net een verongelijkt jongetje, maar daar laat ik me toch heus niet door beïnvloeden, hoor! O ja, voor mijn gevoel zou ik de hele nacht in jouw armen willen liggen, bepaalde principes vertellen me echter dat wij ons verstand moeten gebruiken en de dingen niet moeten overhaasten. Ik beschouw het als geweldig dát wij elkaar opeens liefhebben. Daar ben ik dankbaar voor en dik tevreden mee. De rest komt vanzelf.' Ze kroop weer dicht tegen hem aan toen ze er aan toevoegde: 'Reken er maar vast op dat ik minstens twee of drie kinderen met jou wil! Maar Davina zal voor mijn gevoel altijd mijn oudste kind zijn.'

'Je bent een schat dat je juist dát zegt,' zei Felix, een beetje schor van ontroering. Hij trok haar tegen zich aan en kuste haar even behoedzaam als liefdevol. En op dat moment, terwijl ze anders nooit wakker werd en naar beneden kwam, ging de deur open en stond Davina in haar pyjama in de opening. 'Ik kan niet slapen. Wat doen jullie?'

Tica strekte haar armen naar het meisje uit. 'Kom maar gauw bij me, we hebben een verrassing voor je!' Ze trok Davina bij zich op schoot, er blonken tranen van ontroering in haar ogen toen ze zei: 'Jij hoeft nooit meer te dromen als je wakker bent, want jouw pappa en ik weten opeens dat wij heel erg graag vader en moeder willen zijn van Davina, het liefste meisje van de hele wereld. Hebben wij je hier blij mee gemaakt, lieverd?'

'Ja, want ik wilde het al heel lang en zo héél graag dat jij mijn nieuwe moeder werd.'

Ze zweeg, en toen ze met een frons in haar voorhoofd van de een naar de ander keek, constateerde Felix: 'Ik geloof er niks van dat je blij bent, zo kijk je tenminste niet!'

'Ja,' verzuchtte Davina, 'maar dat komt omdat er nu een probleem is. Want ik weet niet hoe ik juf Tica nu moet gaan noemen. Omdat ik al een moeder heb, kan ik niet mamma of moeder tegen haar zeggen en juf Tica klinkt in de klas wel goed, maar thuis nu opeens niet meer. Hoe moet dat nou?'

Tica gaf haar een kus voordat ze haar adviseerde: 'Daar moet jij je hoofdje nog maar niet over buigen, dat wijst zich vanzelf. Later, bedoel ik, als jouw pappa en ik getrouwd zijn. En zover is het nog niet, dat duurt heus nog een poosje!'

Dat Felix Tica's standpunt van daarstraks respecteerde, liet hij merken door tegen Davina te zeggen: 'Juf Tica gaat zo dadelijk naar haar eigen huis, maar morgen komt ze weer bij ons en dan maken we er voor ons drietjes een feestdag van. Maar nu ga jij weer naar je bed en ik weet zeker dat je nu wél lekker zult kunnen slapen.'

Davina reageerde er niet op, zij had ondertussen even na zitten denken en nu stelde ze vast: 'Ik ga... Ik ga juf Tica later 'moesje' noemen! Dat klinkt heel anders dan moeder of mamma en daarom kan het! Of is het heel gek wat ik zo snel bedacht heb?' Ze zond Tica een vragende blik die zij beantwoordde.

Ik wil niets liever dan jouw moesje zijn... ik zal de naam die jij voor me koos met trots dragen.'
Davina begreep er niets van dat juf Tica erom moest huilen. Felix sloeg beschermend een arm om haar heen en even ontroerd als Tica, zei hij aangedaan: 'Moesje... Hoe lief klinkt die naam en hoe wonderwel past die bij jou. Zou er één mens bestaan,' vroeg hij zich hardop af, 'die de diepte van mijn geluk zou kunnen peilen?'

11

OPNIEUW WAREN ER MAANDEN VOORBIJGEGAAN. HET WAS JANUARI, het vroor dat het kraakte en er woei een harde, snerpende oostenwind. Deze dag hadden ze allemaal medelijden met Evelien toen zij in haar sneeuwwitte bruidsjapon vanuit de auto naar het bordes van het stadhuis liep. Zij scheen echter geen last van de kou te hebben, aan de arm van Guus straalde zij warm geluk uit.

In het stadhuis speelde er voortdurend een lief lachje om haar lippen, later, in de kerk, moest ze echter een paar keer haar zakdoek gebruiken om er tranen van ontroering mee te deppen. Dan nam Guus haar hand en blikte hij haar van opzij liefdevol aan. Evelien en Guus, iedereen vond dat ze bij elkaar pasten als een dekseltje op een doosje.

Tijdens de plechtige inzegening was niet alleen het bruidspaar, maar waren ook de familie, vrienden en andere genodigden zo onder de indruk van de gevoelige woorden van de predikant, dat er tijdens de receptie nog even over nagepraat werd. Maar onder het genot van hapjes en drankjes koersten de gesprekken algauw een andere richting uit en zo werd er aan Tica gevraagd of het nog lang duurde voordat zij een even lieftallig bruidje dacht te zijn. Daarop lachte Tica, maar ze zei vastbesloten: 'Evelien ziet er in die jurk werkelijk beeldig uit, niettemin weet ik sinds vandaag heel zeker dat ik haar voorbeeld niet zal volgen. Ik heb haar geobserveerd en ben al doende tot de conclusie gekomen dat zo'n bruidsjurk voor mij enkel een lastig gewaad zal zijn waar ik de hele dag hinder van zal ondervinden. Als je naar het toilet moet, heb je de hulp van iemand nodig, want met al die meters kant, zijde en tule red je het niet in je eentje. Nee hoor, als mijn grote dag is aangebroken, wil ik me vrij, onbekommerd en prettig kunnen bewegen. Ik denk dan ook dat het iets van een mooi broekpak zal worden, maar in ieder geval iets waar ik me lekker in zal voelen.'

Joosje, die ook bij het groepje om Tica heen stond, kon niet nalaten op te merken: 'Hoe jij er op je trouwdag zult uitzien, is voor mij minder belangrijk, ik ben alleen maar blij dat jij mijn "kleine" broertje het geluk gaat geven dat hij al te lang moest ontberen. En dat geldt ook voor Davina, zij zal dan eindelijk een moeder krijgen die er voor haar is. Dat gun ik mijn oogappeltje, en Giel denkt er net zo over.' Terwijl ze zoekend om zich heen keek, liet ze erop volgen: 'Ik kan hem momenteel niet zo snel tussen al die mensen ontdekken, maar hem kennende, weet ik dat hij zich goed zal vermaken.'

Tica trok een quasi-zielig gezicht. 'Ik zal het de komende tijd moeilijk krijgen. Ik was niet anders gewend dan dat mijn vriendin gezellig bij me in de flat woonde, en nu staat het huis waar ik in en uit kon lopen, me leeg aan te gapen. Het is weliswaar alweer verhuurd, maar het is altijd afwachten wat voor mensen de nieuwe bewoners zullen zijn.'

Evelien was op het groepje komen toelopen, ze had nog net opgevangen waar Tica zich over beklaagde en mengde zich in het gesprek. 'Ik heb met jou geen medelijden, het is allemaal je eigen schuld! Felix wil niks liever dan dat je bij hem intrekt, maar koppig als jij zijn kunt, kom je hem niet tegemoet. Jawel, vanwege jouw principes, maar dat is je reinste flauwekul, hoor Tica! We leven niet meer in de Middeleeuwen, het is tegenwoordig de normaalste zaak van de wereld dat je eerst een poos gaat samenwonen voordat je trouwt. En het heeft enkel voordelen, want op die manier kun je elkaar door en door leren kennen voordat je hem of haar je jawoord geeft. Ik zou er nog maar eens over nadenken als ik jou was, Felix heeft inmiddels lang genoeg moeten wachten op het geluk in zijn leven!'

Tica werd ietwat verlegen van de reprimande die ze kreeg, maar Felix had er geen idee van dat Evelien hem onderwerp van gesprek had gemaakt. Hij en Giel stonden aan de andere kant van de zaal te praten met Sybolt en Ella Veldhuis, de ouders van Evelien.

Door de vragen over zijn varkensmesterij, gesteld door Felix en Giel, bereed Sybolt zijn stokpaardje en was hij naar Ella's smaak veel te lang aan het woord. Met een vinger gaf ze hem op een gegeven moment ongemerkt een prikje in zijn rug en toen hij zich naar haar omkeerde, zei haar veelzeggende blik hem voldoende.

Met een brede lach op zijn gezicht verontschuldigde hij zich tegen Felix en Giel. 'Ik krijg een seintje van mijn vrouw dat ik mijn mond een poosje moet houden, maar dat valt voor een praatgraag iemand als ik niet mee. Ik zal mijn best echter moeten doen, de beurt is nu aan jullie om mij te vertellen over je beroep. Nee, wacht, er schiet mij iets te binnen waar ik liever eerst het fijne van wil weten.'

Hij richtte zich tot Felix en ratelde verder: 'Evelien vertelde aan ons dat Sjef de Noord vorige week op vrije voeten is gesteld. Wij kennen de man niet persoonlijk en dat geldt ook voor jouw ex-vrouw, maar door toedoen van onze dochter Evelien zijn wij op de hoogte van wat er zich allemaal in jouw leven heeft afgespeeld. Wij hebben meerdere malen behoorlijk met je te doen gehad en ik vermoed dat de vrijlating van Sjef de Noord jou zal bezighouden?'

Beslist niet van plan om aan deze man, met wie hij slechts enkele uren geleden kennis had gemaakt, het achterste van zijn tong te laten zien, zei Felix: 'Ja, de man heeft zijn straf er opzitten en kan dus weer doen en laten wat hem belieft. Negen maanden, naar mijn gevoel zijn ze als een zucht voorbijgevlogen, maar hij zal die tijd anders hebben ervaren. Wat kan ik er verder over zeggen. Jij gaf het net zelf aan: het betreft mijn ex-vrouw en dat houdt in dat haar leven niet het mijne is.'

Het speet Felix niet dat Evelien op dat moment op hen toekwam en tegen Sybolt en Ella zei: 'Pa en ma, komen jullie even mee, want ik wil jullie voorstellen aan een paar van mijn vroegere collega's!'

Giel wierp Felix een veelbetekenende blik toe. 'Valt het jou ook wel eens op dat sommige mensen ontiegelijk veel woorden gebruiken en desondanks weinig tot niets zeggen? Ik wist van te voren dat jij hem niet veel wijzer zou maken, maar nu wij even ongestoord alleen staan, wil ik wel graag van je weten of jij mijn advies hebt opgevolgd?'

Felix grijnslachte. Hij begreep waar Giel op doelde en zei: 'Dat kon je geen advies noemen, jij nam me als het ware bij de oren en vervolgens drong jij je wil aan mij op! Maar het doet me goed dat jij en Joosje met mij meeleven. Ja, toen ik wist dat Sjef de Noord vrij zou komen, heb ik jouw goede raad opgevolgd. Ik heb Suze gebeld en gezegd dat ik de maandelijkse toelage aan haar ging stopzetten. "Sjef moet nu weer voor je gaan zorgen," heb ik tegen haar gezegd, maar daar was zij het niet mee eens. Ze riep verbolgen door de telefoon dat dat gemeen van me was. "Toen de scheiding tussen ons werd uitgesproken, werd er beslist dat jij aan mij geen alimentatie hoefde te betalen, maar daarom mág je het wel doen! Jij verdient veel en veel meer dan Sjef. Jij wordt er dus niet minder van en wij kunnen het goed gebruiken!" Ze kraamde er nog veel meer onzin uit,' zei Felix hoofdschuddend, 'maar ik heb voet bij stuk gehouden. Voordat ik een eind aan het gesprek kon maken, zei ze dat Tica haar ook gebeld had met de boodschap dat zij haar nu geen bezoekjes meer kwam brengen. Suze begreep weer eens niet dat Tica Sjef niet wenst te ontmoeten. In plaats daarna kreeg Tica van haar de wind van voren. Ik hoop voor Suze dat Sjef de Noord tijdens zijn opsluiting en teruggeworpen op zichzelf, inderdaad tot inkeer is gekomen. Ik hoop het beste voor haar, meer kan ik niet doen.'

'Het wordt ook de hoogste tijd, kerel, dat jij haar de rug toekeert,' vond Giel. 'Waar ik met mijn verstand niet bij kan, is dat Sjefs vroegere baas hem, ondanks zijn strafblad, weer in dienst heeft genomen. Al deze nieuwtjes horen wij van Manon die in dat dorp vanzelfsprekend het nodige opvangt.'

Felix knikte. 'Precies, en zo vertelde Manon ook dat Sjef een uitblinker in zijn vak schijnt te zijn. Nou, en dan is het voor mij niet moeilijk te snappen dat zijn baas zijn vroegere tegelzetter graag weer terug wil. En waarschijnlijk, zijn voorbeeld volgend, kijken de dorpelingen Sjef niet met de nek aan, maar schijnt hij, volgens Manon, door een bepaalde groep zelfs opgevangen te worden. Daar doet Manon niet aan mee, net als Tica is zij van mening dat Suze en Sjef zich nu maar zonder hun hulp moeten bewijzen.'

Hier onderbrak Felix zichzelf en wees hij op Davina en Jeroen, het zoontje van een zus van Guus. 'Zie je overigens hoe kostelijk mijn dochter zich vermaakt?'

Giel lachte een zuinig lachje. 'Ik heb je hint opgevangen en je hebt gelijk: het is vandaag geen dag om lang terug te blikken op wat is geweest. Wat Davina betreft, kan ik niet anders zeggen dan dat het voor haar prettig is dat er voor haar een speelkameraadje aanwezig is. Als kind alleen tussen al die volwassen mensen zou ze zich volgens mij stierlijk hebben verveeld. Nu dollen ze al de hele tijd als twee jonge honden door de zaal, het is gewoon een genot om naar te kijken!'

Daar was Felix het roerend mee eens, hij wees met een hoofdknik naar een tafeltje iets verderop. 'Zo te zien verveelt mijn zus zich ook niet, ze staat in het middelpunt van de belangstelling en voert het hoogste woord. Zullen we eens gaan kijken waar ze de anderen met haar aanstekelijke lach mee vermaakt?'

Een paar tellen hierna schoven de beide mannen bij het tafeltje aan en genoten ze mee van de komische anekdotes die Joosje met verve vertelde. Op een gegeven moment merkte iemand lachend op: 'Jij zou zo dadelijk tijdens het diner een speech moeten afsteken, of durf je voor een groot gezelschap je mondje niet zo vlot te roeren?'

Daarop zei Joosje overmoedig: 'We zullen dan met een klein groepje aan tafel zitten, maar vergis je niet, ik zou gerust een volle zaal met mensen durven toespreken, hoor! Weet je wat: hierbij beloof ik dat ik straks lovende woorden tegen het bruidspaar zal uitspreken,' besloot ze lachend.

Ze heeft volgens mij een klein drupje te veel op, dacht Giel vermaakt, vervolgens luisterde hij naar Tessa, de zus van Guus, die in volle ernst zei: 'Als het aan mij lag, schoven we nu aan tafel, het moet voor Jeroen niet al te laat worden. Want als hij moe wordt, is hij niet meer te genieten!'

Een van de anderen stelde haar gerust. 'Je hoeft je geen zorgen te maken, de receptie loopt op het eind, ik zie dat veel mensen al afscheid van het bruidspaar gaan nemen. Ik heb geen kleine kinderen meer voor wie het te laat zou kunnen worden, maar ik denk louter aan mezelf als ik zeg dat ik er morgenochtend weer vroeg uit moet en het daarom ook liever niet te laat wil maken.'

'Ik begrijp wat je bedoelt,' zei Felix, 'maar je bent niet de enige. Net als ik zullen de meesten van ons morgenochtend gewoon weer naar hun werk moeten.'

'Daar ben ik er een van,' zei Giel, 'maar wie trouwt er dan in vredesnaam ook op dinsdag!'

Giels verongelijkte blik deed Felix lachend zeggen: 'Het is goed, man, dat je me van te voren waarschuwt! Nu kan ik alvast rekening houden met jouw wensen en beloof ik je dat Tica en ik op een vrijdag zullen trouwen! Dan kun jij de volgende dag tenminste uitslapen en hoef ik van jou geen zwart gezicht te vrezen!'

'Je moet de boel niet overdrijven, want zo'n punt maak ik er nou ook weer niet van,' verdedigde Giel zich. Dat had hij niet hoeven doen, want eenieder die hem kende, wist dat Giel Boelens geen man was die op ieder slakje zout legde.

Een halfuurtje later zaten ze aan het diner waar alleen de wederzijdse familie en vrienden voor waren uitgenodigd. De geserveerde gerechten waren overheerlijk en de stemming zat er goed in. De lachsalvo's waren niet van de lucht, er werd echter vertederd gelachen toen Jeroen in volle ernst tegen zijn moeder zei: 'Als wij later ook groot zijn, dan gaan Davina en ik met elkaar trouwen. Dat hebben we afgesproken en dan moet je het ook doen. Ja hè, Davina?'

Zij haalde haar schouders op. 'We hebben het wel aan elkaar beloofd, maar het duurt nog verschrikkelijk lang. En misschien vinden wij elkaar dan niet meer zo heel erg leuk en dan doe ik het niet, hoor!' Ze keek Jeroen erbij aan als wilde ze zeggen: het is maar dat je het weet!

Maurits, de vader van Jeroen, lachtte vermaakt om het gepraat van de kinderen, vervolgens polste hij Evelien over de huwelijksreis die zij en Guus van haar ouders aangeboden hadden gekregen. 'Hoe is het, Evelien, zit je onderhand al te popelen van ongeduld om op reis te gaan? Twee weken naar Thailand, als ik er aan denk, zou ik bijna jaloers op je worden!'

'Guus en ik verheugen ons er waanzinnig op!' zei Evelien, blozend van geluk. 'We gaan zo dadelijk naar Amsterdam, daar overnachten we in een hotel in een heuse bruidssuite. Dat op zich is voor mij al een belevenis, en morgenmiddag stappen we in het vliegtuig dat ons naar Thailand zal brengen. Het is allemaal zó opwindend, straks piepen wij er na het dessert zonder schaamte tussenuit! Maar laat dat voor jullie alsjeblieft geen reden zijn om ook op te stappen, je kunt blijven feestvieren zolang je maar wilt. Maar nu vertel ik oud nieuws, want Guus heeft het jullie daarstraks in zijn toespraak ook al op het hart gedrukt.'

Louter om zijn vrouw een beetje te plagen, zei Giel tegen Joosje: 'Over een toespraak gesproken, ik meende dat jij nog plannen in die richting had?'

Giel was ervan overtuigd dat het grootspraak van haar was geweest en dat ze nu zou terugkrabbelen. Hij kwam echter bedrogen uit, want Joosje zei lachend: 'Goed van je om me er aan te herinneren! Ja, ik zou ons lief bruidspaar graag eventjes toespreken.' Ze stond op, schoof haar stoel naar achteren en voordat iemand haar ervan kon weerhouden, klom ze er met haar hooggehakte schoentjes boven op. Ze giechelde: 'Zo, nu toren ik boven jullie uit en dat is voor mij een prettige gewaarwording, moet ik zeggen. Lieve Guus en Evelien, ik wil jullie in de allereerste plaats...' Verder kwam ze niet, want op de een of andere manier verloor ze haar evenwicht en viel ze met stoel en al ondersteboven. In eerste instantie werd er gelachen, maar toen Joosje kreunend van pijn op de grond bleef liggen, waren er alleen nog bezorgde gezichten om haar heen. Giel knielde bij haar neer. 'Meisje toch, wat doe je nou?' 'Zeg maar niets, ik schaam me dood,' kreunde Joosje. En alleen verstaanbaar voor Giel liet ze erop volgen: 'Het zit niet goed... de pijn is werkelijk niet te harden...'

Ondertussen had Felix gezien dat haar voet in een abnormale stand lag waardoor hij oordeelde: 'Volgens mij heeft ze haar enkel of onderbeen gebroken. Het is in ieder geval ernstig genoeg om niet langer te treuzelen, we moeten ervoor zorgen dat ze in het ziekenhuis komt!'

Vanwege de verloren blik in Giels ogen nam Felix de leiding, maar ook de juiste beslissingen. 'We gaan met jouw auto, dan kan Tica met die van mij Davina thuisbrengen. Dat komt allemaal goed, we moeten ons nu enkel om Joosje bekommeren!' Net als dat bij Giel het geval was, ging Felix' zorg en aandacht louter uit naar Joosje. De ontstelde gezichten van de achterblijvers ontgingen hem dan ook toen ze Joosje behoedzaam naar buiten droegen. Daar werd ze vervolgens met de nodige zorg op de achterbank van Giels auto gelegd en reden ze linea recta naar de polikliniek van het ziekenhuis.

Onderwijl steunde Joosje: 'Hoe kon ik nou zo dom doen om op die stoel te gaan staan. Waarom wilde ik op mijn manier lollig zijn, dat ligt immers helemaal niet in mijn aard?'

Giel zei sussend: 'Stil maar, het is niet meer terug te draaien. Een ongeluk schuilt in een klein hoekje en kan iedereen overkomen.' Je had inderdaad niet op die stoel moeten gaan staan, dacht hij erachteraan, want je stond sowieso al wat wankel op je benen. De oorzaak daarvan was dat je een glaasje te veel op had, maar op een feestdag als vandaag kan ook dat de beste overkomen.

Verder hielden ze alledrie hun mond. Joosje had meer dan genoeg aan zichzelf, Giel had met haar te doen en moest tevens op het verkeer letten en Felix troostte zich met de gedachte dat een gebroken onderbeen of enkel niet half zo beangstigend was als het hartinfarct dat Giel eens getroffen had. Hij was er toentertijd gelukkig goed van afgekomen en tot nog toe had hij geen last meer van zijn hart gehad. Wat heeft zoiets alarmerends dan te betekenen? vroeg Felix zich af, is het slechts bedoeld als een waarschuwing? Nou ja, die had Giel uiteraard ter harte genomen, hij waakte ervoor zijn grenzen niet te overschrijden.

Hier werd Felix' gepeins onderbroken doordat hij Giel hoorde zeggen: 'We zijn er; als we binnen zijn, mag jij wat mij betreft weer naar de feestgangers gaan. Je moet dan wel een taxi nemen!' Felix wierp zijn zwager van opzij een verontwaardigde blik toe. 'Je ziet me toch hopelijk wel voor vol aan! Natuurlijk wacht ik totdat Joosje geholpen is. En voordat jij daarna met haar terugrijdt naar huis, zet je mij eventjes thuis af. Zo doen we het, Giel, en niet anders!' Wachten duurt altijd lang en gezien de omstandigheden kon Giel het bijna niet volhouden. Hij beende nerveus de gang op en neer en toen hij zich voor de zoveelste keer weer naast Felix op de houten bank liet zakken, zei hij somber: 'Wij vermoeden dat het haar enkel of onderbeen is, maar het kan ook ernstiger zijn. Als het een gecompliceerde breuk blijkt te zijn, zal ze opgenomen worden. Dan krijg ik haar niet mee naar huis, mijn Joosje...'

'Moed houden,' adviseerde Felix. Hij hoorde zelf hoe ontoereikend die goedbedoelde woorden klonken. Hij slaakte een onhoorbare zucht en vervolgens verwoordde hij zijn gedachten: 'Wat kan het toch raar lopen. Zo zit je middenin het feestgedruis en vermaak je je opperbest, en zo zit je in de problemen. Het leven zit vol verrassingen, ze zijn echter niet allemaal even aangenaam. Joosje verging van de pijn en dat zou ik mijn zusje maar wat graag hebben willen besparen.'

Hun lange wachten werd beloond, want op een gegeven moment zwaaiden er een paar klapdeuren open en zagen ze een verpleegkundige met Joosje verschijnen. Deze zat in een rolstoel, haar linkerbeen zat vanaf de knie in het gips. Ze zag bleek, maar ze glimlachte dapper. 'Het is achter de rug...'

Giel zond haar een bemoedigende blik, daarna richtte hij zich tot de verpleegkundige. Op zijn vraag wat er precies aan de hand was, antwoordde zij: 'Uw vrouw heeft haar enkel gebroken. Zoals u ziet, zit die nu veilig in het gips om te genezen. Maar daar is vanzelfsprekend de nodige tijd mee gemoeid. Mevrouw heeft pijnstillers meegekregen, verder wens ik u sterkte.'

Toen ze Joosje in de auto hielpen die Felix voorgereden had, merkte Giel op: 'Ze zag er aardig uit, dat zustertje-in-het-wit, maar ze was behoorlijk kort van stof!'

'Vergeet het uur van de dag niet,' hielp Felix hem herinneren, 'wie weet hoe moe ze is, hoelang ze al dienst heeft gehad.'

'Je hebt gelijk,' gaf Giel toe, 'ik moet leren wat minder snel met mijn oordeel klaar te staan. Gaat het, liever?' vroeg hij bezorgd aan Joosje.

Zij knikte dapper, waarna ze bekende: 'Het was overigens geen pretje... De enkel moest gezet worden en dat deed zo gemeen zeer dat de tranen me ervan in de ogen sprongen. De pijn trekt trouwens nog door mijn hele been naar boven en dat zal wel een tijdje zo blijven, hebben ze me te verstaan gegeven. Maar wat zit ik nou te klagen, het is immers allemaal mijn eigen stomme schuld. Dat zit me het meest dwars...'

Giel had de auto nog maar goed en wel gestart, toen Joosje liet merken dat er nog iets was wat haar dwarszat. 'Wat denk je, Giel,' vroeg ze ietwat timide, 'zal ik morgenochtend weer gewoon met jou mee naar de stad kunnen rijden om op Davina te passen?'

'Je hebt ze toch hopelijk wel op een rijtje,' viel Giel van louter schrik boos tegen haar uit. 'Het idee alleen al is te zot voor woorden. Ik zou denken dat jij meer dan genoeg aan jezelf had! Ben je het met me eens, Felix?'

'Het zou niet best met me gesteld zijn als dat niet zo was.' Hij keerde zich om naar Joosje en ging verder: 'Jij moet voorlopig alleen maar aan jezelf denken, ik red me wel.'

'Hoe dan?'

'Moet je dat nog vragen? Ik blijf gewoon zelf thuis. Ik ben gelukkig eigen baas en mijn collega's kennende, zullen zij begrip tonen en zonder mopperen een stapje harder lopen. Ik ben benieuwd,' liet hij er in één adem op volgen, 'of Tica Davina inmiddels al naar bed heeft gebracht. Ze zal blij zijn als ik thuis ben, want dan kan zij in haar auto stappen om thuis haar bed op te zoeken.'

Giel zei dat hij iets dergelijks ook al had bedacht, dat het heel anders zou gaan, drong pas tot Felix door toen hij de huiskamer binnenstapte en hij op de driezitsbank een slapende Tica aantrof. De plaid die ze over zich heen had gelegd, was op de grond gegleden en zoals ze dat niet had gemerkt, zo merkte ze ook niet dat Felix binnenkwam. Hij raakte ontroerd door haar kleine blote voeten, maar meer nog van het 'nachthemd' dat ze droeg en dat hij herkende als een van zijn overhemden. Het leven zit inderdaad vol verrassingen, schoot het door hem heen, en dit is een bijzonder prettige.

Hij boog zich over haar heen en toen hij een voorzichtig zoentje op haar geurende haren drukte, sloeg Tica haar ogen op. Een ogenblik keek ze hem verdwaasd aan, toen schonk ze hem een lach die twinkelend in haar ogen weerkaatste. 'Ik dacht dat je nooit thuis zou komen, maar je bent er gelukkig!' Ze kwam overeind en een en al ernst nu, vroeg ze: 'Hoe is het afgelopen met Joosje? Ik was zo bezorgd om haar en desondanks ben ik toch in slaap gevallen. Stom is zoiets!'

Felix vertelde uitgebreid hoe alles was verlopen en hij besloot het lange relaas met: 'Giel en ik hebben in de polikliniek afschuwelijk lang moeten wachten en daar werd vooral Giel niet vrolijk van. Al met al was het een wonderlijk einde van een feest dat nog in volle gang was. Maar 'k moet zeggen dat ik bij thuiskomst blij verrast werd. Mijn vrouwtje lag als een opgerold katje te slapen en als nachtgewaad droeg ze mijn overhemd. Het was een allerliefst tafereeltje dat ik gulzig in me heb opgenomen. Ik begrijp dat je Davina naar bed hebt gebracht en dat je toen geen zin meer had om naar de flat te gaan. Ik vraag me echter af waarom jij voor de bank koos in plaats van het comfortabele logeerbed?'

Tica bloosde licht toen ze antwoordde: 'Mijn stellingname dat een man het initiatief moet tonen, is kennelijk niet steekhoudend. Toen ik tot dat inzicht kwam, moest ik bepaalde principes overboord gooien. In verband met Davina heb jij mij de komende tijd nodig en ik... verlangde ernaar in jouw armen te mogen slapen.'

Felix liet zich naast haar op de bank ploffen, hij nam haar in zijn armen en nadat hij haar hartstochtelijk had gekust, zei hij gesmoord: 'Ik dacht dat je voor eeuwig in je flat zou willen blijven. Wat je me nu geeft, is voor mij een lang gekoesterde wens die in vervulling gaat!'

Tica glimlachte er vertederd om, ze huiverde in haar 'nachthemd' toen ze vroeg: 'Ben je moe, wil je meteen naar bed of gaan we nog even gezellig kletsen?'

'Het laatste!' zei Felix volmondig. Hij voegde eraan toe: 'Je weet dat ik geen druppel drink als ik nog moet rijden en zodoende heb ik niets anders dan cola gedronken. Dat komt me nu de neus uit, ik heb zin in een Berenburgje. Schenk alvast maar in, ik ben zo terug.' Hij verliet het vertrek.

Tica was nog bezig met het volschenken van hun glazen toen hij alweer terug was. 'Je rilde daarnet van de kou, daarom heb ik een paar sokken opgehaald en mijn kamerjas, doe die maar gauw aan.'

Tica schoot in een proestlach toen ze de sokken aan had die bijna tot haar knieën kwamen en de kamerjas waar ze in verdronk. 'Je zou liegen als je zei dat ik er nu verleidelijk uitzie, ik sta gewoon voor gek, man!'

'Helemaal niet! Jij kunt er in mijn ogen alleen maar liéf uitzien. Wat bedoelde je daarstraks eigenlijk, toen je zei dat Davina jou de komende tijd nodig had?'

Tica keek hem verbaasd aan. 'Moet je dat nog vragen, het ligt toch voor de hand dat nu Joosje het moet laten afweten, ik dat karweitje maar wat graag van haar overneem! Toen Davina in bed lag, heb ik Jan-Jaap, de directeur van de school, thuis gebeld. Ik heb de situatie aan hem voorgelegd en gevraagd of ik voor onbepaalde tijd voor halve dagen mag werken. Hij deed er in eerste instantie wat moeilijk over, maar toen ik hem erop attendeerde dat er, bij wijze van spreken, een hele rij invalsters stond te popelen van ongeduld om aan de slag te kunnen, gaf hij zich gewonnen. Nou, en zo zijn Jan-Jaap en ik overeengekomen dat ik 's ochtends voor de klas zal staan en 's middags thuisblijf om moedertje te spelen. De maatregel geldt vanzelfsprekend totdat Joosje weer mobiel zal zijn. Wat kijk je nu bedenkelijk, het is toch alleen maar fijn dat jij door deze manier van doen gewoon naar je werk kunt blijven gaan?'

'Je lieve zorg om ons raakt me diep,' zei Felix, 'ik vraag me echter af of wij ons niet al te bezorgd opstellen jegens Davina. Ze is negen jaar, goedbeschouwd zou ze na schooltijd toch eigenlijk wel een paar uur alleen kunnen zijn totdat ik thuiskom. Of zie ik dat verkeerd?'

'Nee hoor, het schijnt de normaalste gang van zaken te zijn dat kinderen zich moeten zien te redden omdat pappa en mamma allebei een drukke baan hebben. Ik heb zeker vijf van deze 'sleutelkinderen' in de klas, maar dat wil niet zeggen dat je dergelijke voorbeelden klakkeloos moet overnemen. Ik peins er tenminste niet over, wat dat betreft zal ik niet met de tijd meegaan, maar dat kan me niks schelen.'

Felix keek haar onderzoekend aan. 'Hier hoor ik van op, zo heb ik je niet eerder horen praten?'

'Het kwam tussen ons niet eerder aan de orde. We leidden allebei een eigen leven, maar nu ik dat van jou meer en meer ga delen, gaat alles er automatisch anders voor me uitzien. Ik heb alleen maar goede herinneringen aan hoe het vroeger bij ons thuis ging en dat zou ik voor Davina ook willen doen. Als ik uit school kwam, kon ik mijn belevenissen aan mijn moeder kwijt, want zij was er altijd. Als kind stond ik er niet bij stil, het was vanzelfsprekend. Nu ik op die periode terugkijk, vooral nu ik om me heen zie hoe het tegenwoordig in veel gezinnen toegaat, besef ik hoe veilig, beschermd en warm het vroeger om mij heen was. Ik kreeg wat een kind nodig had, nu wil ik Davina geven wat zíj nodig heeft. Begrijp je?'

Felix gaf pas antwoord op die vraag nadat hij haar liefdevol had gekust. 'Ja, ik begrijp dat jij Davina als een eigen kind in je hart hebt gesloten. Wat je mij hiermee geeft, is niet in woorden uit te drukken. Ik hou van je, lieveling... Ik hou met hart en ziel van je.'

De tranen die in zijn ogen blonken, raakten Tica en deden haar zacht zeggen: 'Ik hou van jou om wie je bent, ook omdat je je emoties durft te tonen. En nu smijt ik opnieuw bepaalde principes overboord, en neem ik het voortouw, door te vragen of je met mij naar bed wilt...' Tica vergat erbij te zeggen dat het voor haar de hoogste tijd werd, want ze moest er morgen weer vroeg uit. Zij bloosde. Felix zei zacht: 'Je bent een wonder, je doet me telkens weer versteld staan. Ja, mijn allerliefste schat, ik voldoe maar wat graag aan je lieve verzoek!' Ze lachten in elkaars ogen en kort hierna beklommen ze met de armen om elkaar heen de trap naar boven.

Later, Felix dommelde al een beetje weg, moest hij terugdenken aan wat hij eerder had gezegd, want Tica verraste hem opnieuw. 'Felix, slaap je al?'

'Ja, maar nu ben ik weer klaarwakker. Wat is er?'

'Ik lag te doezelen en na te denken over het een en ander en zo kwam ik tot de conclusie dat het me eigenlijk heel goed bevalt om niet almaar een afwachtende houding aan te nemen. Dat de man het initiatief moet nemen, is je reinste flauwekul en dus laat ik dat idee voortaan varen. Dat is voor mij gemakkelijker, want nu kan ik je opnieuw een vraag stellen. En wel deze: wil je met me trouwen, Felix?'

Hij sloot haar in het donker in zijn armen en schor, bewogen fluisterde hij: 'Ja, mijn schat, niets liever dan dat.' Uit de kus die hij haar gaf, proefde Tica zijn liefde, in zijn armen luisterde ze stil naar wat hij zei. 'We zullen er vaart achterzetten. Davina verdient een lief moedertje en ik... heb niet eerder geweten dat een vrouw een man zo gelukkig kan maken. Jij bent werkelijk een wonder op zich!'

Daarop grinnikte Tica: 'Maar wel een uit de oude doos! Het is toch zo dat de meeste stellen die samenwonen, dat blijven doen zelfs als er een of meerdere kinderen zijn. Door per se te willen trouwen ben ik heus een uitzondering op de regel, hoor! Daar zul jij het dus mee moeten doen en ga nu maar weer lekker slapen, ik zal je niet meer wakker maken. Welterusten, Felix.'

'Slaap lekker, mijn meisje, mijn alles.'

Ondanks de korte nacht was Tica de volgende ochtend al voor dag en dauw uit de veren. Ze was aangekleed en bezig de ontbijttafel te dekken toen Felix binnenkwam. Hij keek haar vragend aan. 'Toen ik daarnet wakker werd, miste ik je naast me. Hoe komt het dat je er al zo vroeg uit bent?'

'Ik moet op tijd op school zijn, ik moet naar de flat om spullen voor de komende tijd op te halen en ik moet me verkleden. Ik kan toch moeilijk in de feestkleding van gisteren voor de klas gaan staan? Ik ga thee inschenken en melk warm maken voor Davina. Wil jij haar ondertussen wakker maken? Ze moet met mij mee en dus gelijktijdig met mij klaar zijn.'

Het duurde volgens Tica veel langer dan nodig was, maar toen Felix met het meisje beneden kwam, zag ze dat Davina al gewassen en aangekleed was. Het kind kwam op Tica toe huppelen en met een smakkus op beide wangen wenste Davina haar goedemorgen. Ze had haar plekje aan tafel ingenomen en nadat ze gebeden hadden en Davina zich een beschuitje met jam klaarmaakte, zei ze met sprankelende ogen van geluk: 'Pappa heeft het me allemaal al verteld! Dat juf bij ons blijft wonen totdat tante Joosjes enkel weer helemaal beter is. Ik ben er heel blij om, het kriebelt er een beetje van in mijn buik en dat komt omdat het nu al haast echt lijkt! En eigenlijk zou ik nu alvast wel moesje tegen juf kunnen zeggen. Of niet?' Ze sloeg haar donkere ogen verwachtingsvol op naar Tica en deze glimlachte.

'Als we hier in huis met ons drietjes zijn, mag je moesje tegen me zeggen, maar op school niet. Daar moet je echt heel goed voor oppassen, beloof je me dat?'

Davina knikte van ja. De ernst op haar kindergezichtje maakte plaats voor een ondeugend lachje toen ze zei: 'Ik zal het niet vergeten, hoor... moesje!'

Tica lachte met het meisje mee. Felix' gedachten schoten naar een tijd waarin hij bang was geweest dit lieve kind te moeten afstaan aan een ander. En nu, bedacht hij stil, heb ik alles wat mijn hart zich wensen kan. Vrouw en kind, wie ben ik dat ik me zo bevoorrecht mag voelen.

12

MAART ROERT ZIJN STAART. DIE ZEGSWIJZE BLEEK DIT JAAR WAARHEID, want er woei een gure wind en het had de hele dag bijna onafgebroken gesneeuwd. Veel mensen beklaagden zich over het weer: 'In plaats dat het nu voorjaar wordt, krijgen we opnieuw met de winter te maken.'

Een optimist troostte: 'Dit weer is extreem en daarom van korte duur! Zodra de wind uit een andere hoek komt zal het laagje sneeuw dat er ligt letterlijk en figuurlijk als sneeuw voor de zon verdwijnen!'

Deze avond maakte Giel Boelens zich geen zorgen over het weer, echter wel over zijn vrouw. Joosje zat weliswaar naar de televisie te kijken, maar de verre blik in haar ogen vertelde hem dat ze slechts bewegende beelden zag en geen geluid hoorde. Haar enkel was inmiddels weer helemaal genezen, dus daar kon ze zich geen zorgen over maken, bedacht Giel. Hij vermoedde wel waar Joosje diep in gedachten mee bezig was en om zich ervan ter vergewissen dat hij gelijk had, haalde hij haar terug naar de realiteit. 'Je hebt toch zeker al een kwartier geen boe of bah tegen me gezegd, heb ik je iets misdaan?'

Joosje schokte rechtop en lachte. 'Mallerd, hoe kom je erbij! Ik zat gewoon wat in mezelf te mijmeren en dat dat op zijn tijd geen kwaad kan, heb ik gemerkt. Ik weet nu tenminste...' Ze kreeg niet de gelegenheid te zeggen wat ze al peinzend aan de weet was gekomen, want Giel onderbrak haar.

'Je hoeft mij geen tekst en uitleg te geven, ik weet dat je moeite hebt met de tegenwoordige gang van zaken. En hoewel ik me er wel iets bij kan voorstellen, moet ik toch herhalen wat ik je al eerder op het hart heb gedrukt! Het is voor je eigen bestwil als ik zeg dat jij je los moet maken van Felix, van Davina vooral! Tica heeft naar mijn bescheiden mening het juiste besluit genomen, leer dat inzien, Joosje!'

Zij trok een gezicht. 'Jij trekt voorbarige conclusies, want ik was in gedachten helemaal niet bij het nieuwe leven van Felix! Jawel, ik moest eraan wennen omdat ik er niet op voorbereid was. Ik leefde in de veronderstelling dat, zodra mijn gipspootje verleden tijd was, ik weer net als voorheen op Davina zou mogen passen. Totdat we kortgeleden op een zondagmiddag bij Felix op bezoek waren en Tica vertelde dat het haar goed beviel om voor halve dagen te werken.

Ik weet nog woordelijk dat ze zei: "Ik had het van mezelf niet verwacht, maar het bevalt me zo goed dat ik, in overleg met Felix, heb besloten om het zo te laten. Jan-Jaap, onze directeur met wie ik het goed kan vinden, is er niet rouwig meer om, want Janet, mijn invalster, past goed in ons team. En dat niet alleen, de kinderen dwepen met haar en zijn er al helemaal aan gewend dat juf Janet 's middags voor de klas staat. Janet, op haar beurt, is dolblij dat ze eindelijk een aanstelling heeft gekregen, al is het dan ook voor halve dagen. Het blijkt dus een uitstekende regeling te zijn waar we allemaal baat bij hebben!" Dat zei Tica toen en het was haar en Felix aan te zien dat ze gelukkig zijn met de keus die Tica weloverwogen heeft gemaakt. Het valt me van je tegen, Giel, dat jij zo halsstarrig blijft denken dat ik me opzijgezet voel, want dat is beslist niet het geval! Ik ben er net zo blij mee als jullie allemaal dat Tica de knoop heeft doorgehakt en bij Felix is ingetrokken. Ik vond het echter wel bijzonder verstandig toen Felix vertelde dat hij en Tica meteen trouwplannen hadden gemaakt. En nu is het over een handjevol dagen al zover dat die twee lieverds in het huwelijksbootje zullen stappen! Dan zullen wij na zo'n korte tijd opnieuw op een trouwfeest aanwezig zijn. En ik beloof je dat ik dan niet weer de lolbroek zal uithangen, maar stevig met beide voeten op de grond zal blijven staan!' besloot ze lachend.

Giel was de ernst zelve toen hij zich hardop afvroeg: 'Maar waar was jij zojuist dan in gedachten verzonken mee bezig? Ik mag toch aan-

nemen dat jij voor mij geen geheimen hebt?'
Joosje schudde lachend haar hoofd. 'Nee, natuurlijk niet! Nou ja,
het is gewoon zo dat mijn dagen te lang en te leeg zijn nu ik niet
meer voor Davina hoef te zorgen. Daar zat ik over te mijmeren. Ik
moet wat om handen hebben, anders krijg ik te kampen met een
onvoldaan gevoel en dat komt mijn humeur dan weer niet ten
goede. En om dat te voorkomen, heb ik, net als Tica, een goed besluit genomen!'
Giel staarde haar niet-begrijpend aan. 'Nu maak je me toch wel erg
nieuwsgierig. Vertel!' beval hij, waarop Joosje van wal stak.
'Ik moest vanochtend naar de slager en onderweg kwam ik Jelle en
Frida Westerlee tegen. We weten hier op het dorp allemaal dat
Frida in een paar jaar tijd van vergeetachtig dement is geworden. Ik
vroeg aan Jelle hoe het ging en of hij het aankon. Ik had met de man
te doen toen hij zwaarmoedig zei: "Het is niet anders, we moeten er
samen doorheen, Frida en ik. Er zijn mensen die mij, goed bedoeld
overigens, op een verpleegtehuis wijzen, maar daar peins ik niet
over. Zolang ik gezond en goed ter been mag blijven, zorg ik voor
haar, daar valt niet aan te tornen!" Toen ik opperde dat de taak
zwaar was die hij op zijn schouders droeg, bekende Jelle: "Dat mag
ik niet ontkennen, ik kan haar geen moment alleen laten. Maar
Frida kan het niet helpen dat er vanwege haar ziekte voor mij veel
is weggevallen. Ik zat vroeger op een kegel- en kaartclub, aan de
waterkant een hengeltje uitgooien was mijn lust en mijn leven. En
met hetzelfde plezier kon ik me uren achter de computer vermaken. Dat is er allemaal niet meer bij, maar ik mis al die aangename
verzetjes wel, moet ik zeggen." Het is gewoon zielig voor die man,'
verzuchtte Joosje.
'Dat is het zeker,' beaamde Giel. 'Het was altijd een leuk stel om te
zien, Jelle en Frida Westerlee. Hij is wat je noemt een boom van een
kerel, Frida daarentegen een klein, frêle vrouwtje. We kennen
elkaar al lange jaren als dorpsgenoten. Zijn ze beiden niet achter in

de zestig? Het is bijzonder sneu dat dit lot hen moest treffen, het maakt weer eens duidelijk dat je gezondheid je kostbaarste goed is. Maar jij hebt mij ondertussen ook iets duidelijk gemaakt, jij gaat Jelle een helpende hand toesteken, of heb ik het mis?' ·

'Dat ben ik inderdaad van plan,' bekende Joosje. 'Als ik een deel van Jelles zorgen van hem overneem, kan hij zijn vroegere liefhebberijen weer een beetje gaan uitoefenen. Hij heeft volgens mij niet alleen afleiding nodig, ook de sociale contacten zullen hem welkom zijn. Ik ga morgenochtend tegen koffietijd even bij hem langs en dan hoor ik wel of hij gebruik wil maken van wat ik hem te bieden heb. Het kan best zijn dat hij zijn vrouw niet aan mij durft toe te vertrouwen, maar dan heb ik in ieder geval mijn goede wil getoond. Je hebt toch hopelijk niets op mijn plan tegen?'

Giel tuitte zijn lippen en zond haar een denkbeeldig zoentje. 'Je bent een vrouw naar mijn hart! Ik bewonder je inzet voor mensen die het moeilijk hebben.'

Joosje hielp hem herinneren: 'Er komt ook een dosis eigenbelang bij om de hoek kijken, was je dat vergeten?'

'Nee, maar ik ken je en weet dus dat dat voor jou niet de belangrijkste drijfveer is. Maak Jelle Westerlee morgen maar blij, ik weet nu al wel zeker dat hij jouw aanbod dankbaar zal aanvaarden!'

Giel zat er met zijn voorspelling niet ver naast, want toen Jelle Westerlee de volgende ochtend de deur van zijn huis voor Joosje opende, verscheen er een blijde lach op zijn gezicht. 'Daar hebben we Joosje Boelens, wat een verrassing! Kom binnen, het gebeurt me niet alle dagen dat ik een koffiedrinker krijg.'

In de gang nam hij haar jas aan die hij op een hangertje aan de kapstok hing en ondertussen praatte hij door: 'Ik mag wel zeggen dat we geen aanloop meer krijgen. Vroegere vrienden en kennissen hebben het de een na de ander laten afweten en ach, daar heb ik wel begrip voor. De situatie is bij ons erg veranderd, de gezelligheid die

Frida vroeger moeiteloos wist te creëren, is nu ver te zoeken. Maar nu kom jij even aanwippen en dat doet me goed!'

Joosje liep achter hem aan naar de huiskamer terwijl ze besefte dat de man het doel van haar bezoek nog niet kende, maar dat hij enkel al gelukkig was met iemand die onder het genot van een kop koffie een praatje met hem wilde maken. Over eenzaamheid gesproken, dacht Joosje.

In de huiskamer liep ze op Frida toe. Zij zat op een stoel aan de tafel van de eethoek, en monsterde Joosje van top tot teen. 'Hallo, Frida, ken je me nog?'

Deze reageerde verbolgen: 'Ja, natuurlijk weet ik dat jij Joosje Boelens bent. Ik ben toch niet gek!'

Jelle wees Joosje een stoel tegenover die van zijn vrouw. 'Ga zitten. Ik ruim even de kranten van de tafel waar ik in zat te lezen en dan krijg je een lekker bakje koffie van me. Jij lust er ook nog wel een, hè Frida?'

Deze knikte afwezig, haar blik bleef vragend op Joosje gevestigd. Totdat ze informeerde: 'Ken ik u ergens van, mevrouw? U komt me bekend voor.'

'Ik ben Joosje, ik had me daarstraks aan je moeten voorstellen.' Hierna sloeg ze haar ogen op naar Jelle en hij glimlachte goedig. 'Het ene moment lijkt ze helder van geest en meteen daarop is het weer helemaal mis. Daar kijk jij van op, ik weet echter al niet anders meer.'

'Ze heeft nog altijd dat lieve, zachte van vroeger op haar gezicht, het is inderdaad moeilijk voor te stellen dat haar geest het laat afweten. Jammer is dat. Voor haar, maar ook zeker voor jou!'

'Ja, ik kan haar echt geen moment alleen laten. Zolang ze me kan zien, is ze rustig, ik hoef haar echter maar even alleen te laten en ze haalt gevaarlijke stunten uit. Vanochtend bijvoorbeeld, moest ik naar het toilet en toen ik terugkwam, had ze het tafelkleed van de tafel gehaald. Ze verwachtte duidelijk gasten, want op de tafel stonden vijf borden, het bestek ernaast was niet te tellen. En alsof het zo nog niet mooi genoeg was, stonden er op het fornuis drie volle pannen met water. Ik kan er met mijn verstand niet bij dat ze het allemaal in een mum van tijd voor elkaar kreeg. En dan ook nog zonder ongelukken. Ze loopt moeilijk, zonder de rollator kan ze zich nauwelijks voortbewegen, desondanks heeft ze lopen sjouwen met pannen vol water. Als ik even niet op haar let, kan er meteen van alles gebeuren. En zo gaat het steeds, dag en nacht, mag ik wel zeggen.'

Voordat Joosje erop in kon gaan, mengde Frida zich in het gesprek. Zij had kennelijk iets opgevangen over moeilijk lopen, nu zei ze met een gelukzalige blik: 'Ik ben niet meer zo vast ter been, maar vroeger was ik een bekende danseres! Ik werd overal gevraagd, in binnen- en buitenland, weet je nog, Jelle?'

Joosje bewonderde het geduld van de man, zijn tactvolle manier van optreden vooral, toen ze hem hoorde zeggen: 'Ja, mijn meisje, je was een ster. Maar dat ben je nog.' Hierna richtte hij zich tot Joosje. 'Ze heeft in d'r jonge jaren niet eens gewoon dansles gehad, hoe ze desondanks op dergelijke verhalen komt, zal voor mij een mysterie blijven.'

'Jij had het gisteren, tijdens het praatje dat we maakten, over jouw hobby's van vroeger, daar heb ik over lopen nadenken.'

Jelle keek haar verrast aan. 'Dat meen je niet! Ik vind het al knap van je dat je hebt onthouden dat ik mijn kegel- en kaartclubje mis evenals mijn andere liefhebberijen van vroeger. Dat jij je er in hebt verdiept, daar hoor ik van op!'

Joosje kreeg niet meteen de gelegenheid met het doel van haar bezoek tevoorschijn te komen, want Jelle moest zich om Frida bekommeren. Zij schoof haar stoel naar achteren en stond op en op Jelles vraag wat ze van plan was te gaan doen, zei ze: 'Ik ga naar buiten, even een blokje om. Het is lekker weer en dat gepraat van jullie gonst in mijn hoofd.'

Jelle gebood haar streng dat ze weer moest gaan zitten, Joosje haastte zich haar gerust te stellen. 'Ik stap zo dadelijk op, dan is het weer lekker rustig om je heen.' Frida knikte gelaten. Joosje sprak verder tegen Jelle. 'Om terug te komen op jouw hobby's, hoe zou je het vinden als ik een paar middagen per week op Frida pas, zodat jij er even tussenuit kunt?'

Jelle sloeg een paar ogen vol ongeloof naar haar op. 'Dat meen je niet, zo'n geweldig aanbod heb ik nog nooit mogen ontvangen. Ik zou er fantastisch mee geholpen zijn, maar je maakt me blij met een dooie mus, realiseer ik me tegelijk. Want hoeveel of weinig je er ook voor terugvraagt, ik kan van mijn AOW en aanvullend pensioentje geen cent missen, ik kan er net van rondkomen.'

Joosje zond hem een bestraffende blik. 'Heb je nooit gehoord, Jelle Westerlee, van een vriendendienst!? Ik zou me werkelijk doodschamen als ik er geld voor zou vragen, temeer daar er van mijn kant eigenbelang bij aanwezig is.'

Ze vertelde hem het waarom hiervan en toen ze uitgesproken was, zei Jelle: 'Ik had al gehoord dat je broer gaat hertrouwen. En als ik iémand het geluk gun, is het Felix! Tjonge, die man heeft heel wat te verstouwen gehad in zijn leven.' Verontschuldigend zei hij erachteraan: 'Dat weet ik uiteraard niet van jou of van Felix, maar je hoort weleens wat als je in het dorp je oor te luisteren legt. Zo is het toch?'

'De mensen praten graag,' zei Joosje glimlachend. 'Maar dat hoeven niet altijd roddels te zijn, het is even zo vaak welgemeend meeleven. Ja, over een paar dagen is het zover, dan hebben we groot feest in de familie. Ik verheug me erop mijn broer weer gelukkig te zien. Maar wat doen wij: maken we gelijk een afspraak?'

'Graag!' kwam het volmondig. En nadat hij een aarzeling had overwonnen zei hij: 'Morgenmiddag houdt de hengelclub hun jaarlijkse viswedstrijd. Ik sta uiteraard niet op de lijst van ingeschrevenen, maar mens-nog-aan-toe, wat zou ik er graag als toeschouwer bij willen zijn. Maar nu praat ik in mijn enthousiasme voor mijn beurt, want ik realiseer me dat jij een trouwerij in het verschiet hebt waar je het druk mee zult hebben. Zeg jij dus maar liever wanneer het jou past.'

'Je kunt me morgenmiddag verwachten, want over het huwelijk van Felix hoef ik me niet druk te maken, dat hebben ze zelf allemaal al geregeld. Giel en ik hoeven er enkel voor te zorgen dat wij aanstaande vrijdag in een feestelijke outfit verschijnen. Nou, zijn kostuum en mijn japon hangen klaar en tot wij ons daar in moeten hijsen kom ik op je vrouw passen.' Ze boog zich over de tafel naar Frida toe. 'Heb je wel opgevangen dat ik morgen bij je kom? Dan gaan we als vrouwen onder elkaar gezellig wat kletsen en als het weer het toelaat, gaan we naar buiten om een wandeling te maken. Lijkt het je wat, je kijkt zo bedenkelijk?'

'Ja, maar dat komt omdat ik niet weet of ik tijd voor je vrij kan maken. Ik heb nog een boel te doen en denk maar niet dat Jelle me helpt, die luilak loopt de hele dag met zijn handen in zijn broekzakken. Het is erg, hoor, als je met zo'n niksnut getrouwd bent! Zijn wij eigenlijk wel getrouwd?' liet ze er met een vragende blik naar Jelle op volgen.

Hij zei quasi-bedenkelijk: 'Daar vraag je me wat, dat zou ik na moeten kijken. Maar mochten we het vroeger zijn vergeten, dan doen we het alsnog. En dan, Frida, zul jij het mooiste bruidje zijn dat ooit in het huwelijk trad!'

Blij met het compliment zei Frida stralend tegen Joosje: 'Jelle is de liefste man van de hele wereld. Ik geloof dat hij alles voor me doet, alles voor me overheeft, maar dat weet ik niet zeker. Weet jij het, Jelle?'

'Je bent mijn lieverd, laten we het daar maar op houden.'

Kort hierna liet hij Joosje uit en zij zei welgemeend: 'Ik heb bewondering voor je! Het is werkelijk ontroerend te zien met hoeveel geduld en liefde jij haar omringt!'

'De verhouding tussen ons is niet meer die van man en vrouw, maar dat wil niet zeggen dat ik niet meer van haar hou. Ik geef anders om haar dan toen ze nog gezond was, maar zeker niet minder. We zijn al ruim veertig jaar getrouwd, dat veeg je niet zomaar van tafel.' Hij legde zijn grote handen op Joosjes schouders en aangeslagen zei hij: 'Dankjewel, Joosje Boelens, voor wat je voor Frida en mij wil doen!' Zijn emotie sloeg op Joosje over, waardoor zij slechts uit kon brengen: 'Tot morgen, Jelle...'

's Avonds vertelde ze Giel over het verloop van haar bezoek aan Jelle en Frida Westerlee. En nadat ze hem een beeld had geschetst van het trieste leven dat zij noodgedwongen moesten leiden, zei ze met een lachje om haar lippen: 'Het geeft je een ongekend warm gevoel, mens te mogen zijn met je medemens.'

Tica droeg op deze vrijdag geen bruidsjapon zoals ze al eens had gezegd, maar een chic, roomkleurig broekpak. De perfect bijpassende schoentjes hadden een kittig hakje, in het kunstig opgestoken haar droeg ze een diadeem met ingezette parels die flonkerden in het lamplicht. Uiteraard ontbrak het bruidsboeket niet en al met al zag ze er beeldig uit.

Je zou het huwelijk van haar en Felix een replica kunnen noemen van dat van Evelien en Guus een paar maanden geleden. Ze trouwden in hetzelfde stadhuis en kerk, dezelfde predikant zegende hun huwelijk. En vanwege de goede herinneringen hadden ze in hetzelfde restaurant de grote zaal afgehuurd. Daar was de receptie inmiddels in volle gang en zoals overal en altijd, was de bruid het stralende middelpunt. Tica had waarschijnlijk zelf niet in de gaten dat haar warme blik telkens naar twee bepaalde mensen dwaalde en alleen tegen Felix had ze daarstraks gefluisterd: 'Ik ben zó dankbaar en blij dat pa en ma vanuit Brazilië zijn overgekomen! Zonder hen zou deze dag niet de mooiste uit mijn leven zijn geweest.'

Het had Felix niet onberoerd gelaten dat hij kennis mocht maken met zijn schoonouders, Niek en Marthe Westerhout. Marthe had haar gevoelens niet onder stoelen of banken gestoken, maar ontroerd gezegd: 'Niek en ik hebben altijd gehoopt dat Tica het geluk in de liefde zou mogen vinden en nu wij jou intussen een paar dagen kennen, kan ik niet anders zeggen dan dat ik de ideale schoonzoon heb gekregen. En ook je dochter heb ik al in mijn hart gesloten. Dat lieve meiske had niet aan me hoeven vragen of ze me oma mocht noemen, want ze vervult er een wens van mij mee. Ik zie er nu al tegen op dat ik terug moet naar Brazilië, maar er zit niets anders voor ons op. Niek moet de periode waarvoor hij getekend heeft, afmaken. Maar het eind ervan komt gelukkig in zicht en daarna kan het buitenland me gestolen worden en wil ik in eigen land blijven. Om te delen in het geluk van mijn dochter. Dat is naar mijn opinie niet te veel gevraagd, Niek heeft er in ieder geval begrip voor. Hij heeft me beloofd rekening te zullen houden met mijn wens voor de toekomst.'

Davina hoefde zich op deze dag ook niet eenzaam te voelen, want Lieke en haar ouders hoorden bij de genodigden. De beide meisjes zaten aan een tafeltje te smullen van een punt van de bruidstaart toen Davina van opzij naar Lieke keek. 'Ben je jaloers op me?'

'Waarom zou ik?'

'Nou, omdat ik opeens heel veel gekregen heb? Een nieuwe opa en oma die héél lief zijn en een nieuwe moeder die ik vanaf vandaag gewoon hardop moesje mag noemen?'

'Dat is allemaal heel gewoon, alle kinderen hebben een opa en oma en een moeder. Jij was anders, maar nu ben je weer een gewoon kind.'

'O... Zo had ik het niet bedacht, maar jij hebt wel een beetje gelijk.'

Ook toen hun taartbordjes leeg waren, bleven de monden van de beide meisjes in beweging, en ze waren geen uitzondering op de regel, want overal om hen heen werd druk gepraat en gelachen. Tica, Evelien, Manon en Joosje stonden ergens in de zaal met elkaar van gedachten te wisselen.

Toen Manon op een gegeven moment even haar mond hield, lukte het Tica ertussen te komen en vroeg ze aan Joosje: 'Hoe bevalt de taak die je op je hebt genomen?'

Joosje schokschouderde. 'Ik heb pas een paar middagen op Frida gepast, ik kan er dus nog niet veel van zeggen. Ik doe mijn best haar zo prettig mogelijk bezig te houden, maar dat valt niet mee. Ze mist Jelle constant, als hij niet om haar heen is, wordt ze onrustig. Ze moet nog aan mij wennen, de ene keer noemt ze me Joosje, een andere keer mevrouw, en gisteren informeerde ze in volle ernst of ik soms haar moeder was. Ondanks het droeve ervan, beleef ik soms toch ook vermakelijke momenten met haar. Voor Jelle is het een uitkomst, die man weet niet wat hem overkomt nu hij de deur onbezorgd een tijd achter zich dicht kan trekken om te gaan genieten van zijn liefhebberijen. Nou, en dat was de bedoeling, het uitgangspunt van de hele kwestie.'

'En jij hebt weer wat om handen!' hielp Tica haar herinneren.

'Ja, dat is waar en het voelt goed nu ik mijn dagen weer nuttig kan invullen. Voorheen paste ik op een klein kind, nu heeft een groot kind me nodig.'

Guus kwam op hen toe lopen, hij legde een arm om Eveliens middel en vroeg lachend aan Joosje: 'Hoe is het, klim je straks weer op een stoel om het bruidspaar toe te spreken?'

'Leukerd, weet je niks anders te zeggen,' pareerde Joosje. Ze lachte toen ze verderging: 'Je kent het gezegde toch van de ezel die zich maar eenmaal aan dezelfde steen stoot! Je hoeft je niet ongerust te maken, hoor Guus, vandaag zullen er geen onverwachte toestanden ontstaan!' De anderen lachten met Joosje mee en geen van hen kon op dit ogenblik bevroeden hoe en waardoor het onverwachte toch van zich zou doen spreken.

Kort hierna namen de dames plaats aan een van de lange tafels waaraan nog net voldoende stoelen vrij waren. Joosje trok Davina bij zich op schoot, Lieke hing verderop aan een tafeltje tegen haar moeder aan. Tica zat Manon te jennen toen ze zei: 'Ván trouwen komt trouwen. Op de trouwdag van Evelien sloeg die stelregel op mij, nu is het aan jou om het goede voorbeeld van mij op te volgen!'

Manon bloosde en ietwat verlegen zei ze: 'Het zal niet aan mij liggen. Nu ik zie hoe gelukkig Evelien en jij zijn, lokt de liefde mij ook.' Ze zweeg en het viel niemand op dat ze haar ogen zoekend door de zaal liet gaan totdat haar blik bleef rusten op een collega van Felix, Marco Verbeek.

Toen hun blikken elkaar op dat moment kruisten, sloeg Manon haar ogen blozend neer en zei Marco tegen Felix, die naast hem zat: 'Ik moet je alle gelijk van de wereld geven, die vriendin van Tica, Manon, is werkelijk een aantrekkelijke vrouw! Ik heb daarstraks al even met haar kennisgemaakt, we hebben toen gezellig samen staan praten, nu merkte ik dat ze op een bepaalde manier naar me keek. Zodra de gelegenheid zich voordoet, ga ik opnieuw contact met haar zoeken!'

'Hè, hè, eindelijk dan,' verzuchtte Felix quasi-theatraal. Toen hij verderging, was de verontwaardiging in zijn stem niet geveinsd. 'Ik heb in de achter ons liggende maanden al tig keren tegen je gezegd dat ik een leuke vrouw voor je wist, maar telkens lachte jij me dan in mijn gezicht uit. En nu praat je opeens zó?'

'Je vergeet nu dat ik haar toen niet kende, er geen idee van had hoe ze eruitzag. Nou, naar mijn smaak mag ze er zijn! Ik heb nooit geloofd in liefde op het eerste gezicht, daar moet ik nu echter op terugkomen. Wat kijk je nu, er is niets zo veranderlijk als een zogenaamde verstokte vrijgezel. Wist je dat niet?'

Marco lachte zowat van oor tot oor. Felix gaf hem een por en zei: 'Je zoekt het maar uit, ik ga mijn vrouwtje opzoeken. Ik schat dat de receptie over, pakweg, een halfuur voorbij zal zijn en dan schuiven we aan tafel. En om ervoor te zorgen dat mijn kersverse vrouw niet per ongeluk naast iemand anders gaat zitten, mag ik haar vanaf nu niet uit het oog verliezen.'

Felix stond op en een paar tellen hierna liet hij zich op een stoel tussen Tica en Joosje neervallen. 'Hoe is het, lieveling, vermaak je je een beetje?'

'O ja, ik geniet met volle teugen! Het kostte van te voren de nodige organisatie, maar het is toch fantastisch te mogen zien dat het de moeite meer dan waard was? Iedereen vermaakt zich, de stemming is optimaal, het mooist van alles is voor mij misschien wel dat pa en ma geen minuut onbenut laten. Ze hebben het zo druk om met iedereen een praatje te maken, dat ik er een beetje bij inschiet. Maar dat geeft niet, ik heb die lieverds het hele weekeinde nog voor mezelf. Ik wil er nog niet aan denken dat ze maandag weer ver bij me vandaan zullen gaan.'

'Ik blijf bij je, is dat een troost?' Als antwoord kreeg hij van Tica een snel kusje en daarna keerde hij zich naar Davina die nog steeds vertrouwelijk bij Joosje op schoot zat.

'Ik zie dat er geen stoel voor je vrij is, kom dan nu maar op míjn schoot zitten, want tante Joosje zal onderhand wel moe van je zijn.' Davina reageerde er niet op, haar blik bleef gericht op de ingang van de zaal. 'Daar is mamma!' Het kwam er niet enthousiast uit, maar bang, geschrokken.

Iedereen aan de tafel volgde de blik van het kind en zo zagen ze haar tegelijk in de deuropening staan: Suze. Ze keek zoekend de zaal rond en toen ze Felix in het oog kreeg, stak ze verheugd een hand op.

Hij schoof met een ruk zijn stoel naar achteren en terwijl hij zich naar haar toe haastte, vroeg hij zich verbolgen af: Hoe haalt ze het in haar hoofd? Dit is werkelijk hondsbrutaal. Of alleen maar dom? Terwijl hij zich die vraag stelde, loodste hij Suze met zachte drang terug de gang in en sloot hij de zaaldeur achter zich. En daar vroeg hij in opperste verbazing: 'Wat kom jíj hier in vredesnaam doen, Suze?'

Zij interpreteerde de ontsteltenis op zijn gezicht verkeerd. 'Ik zie dat ik je verras en dat was de bedoeling! Ik kwam Manon onlangs in het dorp tegen en toen ik naar jou vroeg, vertelde zij me dat je met Tica ging trouwen. Toen heb ik haar heel stiekem een beetje uitgehoord en zodoende kwam ik er achter waar en hoe laat de receptie werd gehouden. Ik heb toen niet aan Manon verklapt wat ik van plan was, want het moest een verrassing voor jou zijn! Omdat ik weet hoe het hoort, ben ik gekomen. Ik ben wat aan de late kant, maar beter laat dan nooit. Toch?' Felix kon er niet op ingaan, Suze leek een niet te stoppen spraakwaterval, ze ratelde door. 'Ik heb niks voor je meegebracht, zelfs geen bloemetje. Sjef zei dat dat onzin was, want dat jullie overladen zouden worden met dure cadeaus en dat dat van ons er dan toch maar bij in het niet zou vallen. Sjef heeft me met de auto gebracht, hij wacht om de hoek van de straat op me. Ik kan dus niet zo heel erg lang blijven, want dat is niet leuk voor hem. Dat begrijp je toch wel, Felix?'

Je bent niet veel meer dan een groot kind, een zielenpoot, flitste het door Felix heen. Hij moest veel wegslikken voordat het hem lukte te zeggen: 'Het spijt me, maar ik kan je niet binnenlaten. Dat kan écht niet, Suze, probeer dat te begrijpen! Jij en ik, we hebben elk een eigen leven, we moeten elkaar liever niet lastigvallen.'

'Ik had niet verwacht dat je zo zou reageren. We zijn immers getrouwd geweest, dan hoor ik toch op zijn minst op jouw trouwfeest te verschijnen? Of had Sjef dan toch gelijk, hij zei dat ik niet moest gaan omdat het niet zo hoorde.'

'Je moet voortaan maar liever naar je man luisteren, want hij had gelijk. Hoe is het anders met je, met jou en Sjef, bedoel ik?'

'Nou, wel goed. Na zijn vrijlating heeft hij me maar één keer weer een mep verkocht, maar dat kwam per ongeluk. Sjef is er echter wel van geschrokken. Hij heeft toen op eigen houtje hulp gezocht en nu is hij in teer...tera.' Ze kwam er niet uit, Felix schoot haar te hulp.

'In therapie, is dat het?'

'Ja! En nu slaat hij me niet meer, geen wonder toch dat ik gek op hem ben! Maar soms vraag ik me nog af of ik niet beter bij jou had kunnen blijven. Wat denk jij, Felix?'

Hij dacht aan zijn liefde voor Tica, aan wat zij Davina gaf, en aangedaan zei hij schor: 'Ik denk, Suze, dat het allemaal zo heeft moeten verlopen en dat wij, achteraf beschouwd, hebben gekregen wat ons toekomt. Dat goede stemt mij dankbaar en jij zou je er eens in moeten verdiepen!'

Felix had het in volle ernst gezegd, maar Suze schoot ervan in een giechellach. 'Je praat nu weer zo kerks als het maar kan, ik ben blij dat ik daar niets meer mee te maken heb. Vroeger ging ik op zondag met je mee naar de kerk. Dat moest van jou, maar nu heb ik Sjef en hij zegt dat ik die onzin van een dominee niet moet geloven. Nou, en Sjef is heel verstandig, hij weet echt alles!'

'Ga dan maar gauw naar hem toe,' adviseerde Felix moedeloos. Na een aarzeling waarin hij ontzettend veel moest overwinnen, vroeg hij: 'Je hebt een vergeefse reis gemaakt en dat spijt me voor je. Vooral omdat ik denk, vermoed... dat je ook gekomen bent om Davina even te zien?'

Suze keek hem schaapachtig aan. 'Eerlijk gezegd heb ik niet zo gauw aan haar gedacht.' Ze zweeg, het leek of ze nadacht, totdat ze hem op vertrouwelijke toon deelgenoot maakte van haar gevoelens. 'Ik weet nog dat ze geboren is, maar ik kan me nu niet meer voorstellen dat ze mijn kind is. Ik geef niks meer om haar. Kinderen zijn enkel lastposten, dat vindt Sjef ook en daarom zorgt hij ervoor dat ik niet opnieuw zwanger raak. Snap je?'

Meer dan me lief is, dacht Felix met een overvol gemoed. Zijn antwoord op haar vraag was eerlijk gemeend. 'Dat is een verstandig besluit van Sjef. En nu wil ik dat je weer naar hem toegaat. Hij wacht al te lang en ik... zou niet weten wat wij elkaar verder nog te zeggen hebben.'

Suze haalde haar schouders op. 'Nou, veel plezier dan nog!' Ze keerde zich om en liep op de uitgang toe.

Door een waas van tranen om wat ze over Davina had gezegd, keek Felix haar na. Totdat hij opeens een paar armen om zich heen voelde en hij Tica hoorde fluisteren: 'Stil maar, lieve schat, ze is het niet waard dat jij huilt om haar.'

Felix trok zijn zakdoek te voorschijn en terwijl hij daar driftig mee over zijn ogen wreef, mompelde hij beschaamd: 'Het lijkt wel de omgekeerde wereld. Jij hebt vandaag van louter geluk geen traan hoeven laten en nu sta ik als bruidegom in mijn zakdoek te snotteren. Waar kwam jij zo opeens vandaan?'

'Ik heb de hele tijd in de zaal, opzij van de glazen deur gestaan. Toen Suze eindelijk verdween en ik zag hoe moeilijk jij het had, kon ik gelukkig onmiddellijk bij je zijn. Maar hoe moet het nu verder, ik neem aan dat jij je niet meer in het feestgedruis zult kunnen storten?'

'Tuurlijk wel! Ik ga zo dadelijk even naar buiten en na een paar fikse happen frisse lucht zal ik het van me af kunnen schudden. Vind je het goed dat ik je vanavond, als we thuis zijn, vertel wat Suze te melden had?' Toen Tica zich begripvol toonde, informeerde Felix: 'Davina was de eerste die haar zag staan, zei ze naderhand nog iets over Suze?'

In gedachten hoorde Tica het bange stemmetje van Davina: 'Ik denk dat mamma mij komt halen, maar ik ga niet met haar mee. Ik wil bij mijn moesje blijven...'

Tica slaakte een onhoorbaar zuchtje waarna ze Felix' vraag beantwoordde. 'Vind je het goed dat ik het je vanavond vertel als we thuis zijn?'

Felix ving de kwinkslag op, hij sloeg een arm om haar heen en kuste haar. 'Je bent onnoemelijk lief. Ga nu maar weer naar binnen, ik kom zo.'

Terwijl Felix zijn longen vol frisse lucht zoog, zei Tica in de zaal tegen de aanwezigen dat de plotselinge confrontatie met Suze Felix even te veel was geworden, maar dat hij zich weer snel zou weten te herstellen. 'Als hij straks binnenkomt, stel dan alsjeblieft geen vragen. Om hem te helpen, kunnen wij maar beter doen alsof er niets is voorgevallen.'

De daaropvolgende uren deed eenieder zijn of haar best, Felix incluis. Maar desondanks bleef het grauwsluiertje dat Suze achter had gelaten, hardnekkig in de zaal hangen.

13

'VAN WIE HEB JE DIE GROTE BOS BLOEMEN GEKREGEN?' VROEG DAVINA
toen ze tussen de middag uit school thuiskwam.
'Die heb ik niet gekregen, maar gekocht,' zei Tica. 'Mijn klasje had
het laatste uur gymles en zodoende kon ik eerder naar huis en heb
ik onderweg de bloemen gekocht. Ze zijn voor tante Evelien. Zij en
oom Guus zijn vandaag precies één jaar getrouwd en dat moet een
klein beetje gevierd worden, heb ik voor mezelf bedacht. Als jij
straks weer naar school bent, rijd ik even naar haar toe. Ik heb haar
daarnet gebeld, ze weet dat ik kom.'
Davina keek beteuterd. 'Dan ben jij na schooltijd niet thuis en ik
had met Lieke afgesproken dat we op mijn kamertje gingen spelen.
Hoe moet dat dan?'
Tica zond haar een bestraffende blik. 'Wie zegt dat ik niet thuis zal
zijn? Is het trouwens ooit gebeurd dat jij voor een dichte deur
kwam te staan?'
'Nee, maar het kan toch zomaar een keertje?'
'Als het aan mij ligt niet en dat zou jij onderhand kunnen weten.'
'Nu doe je echt een beetje boos en zo kijk je ook,' stelde Davina verongelijkt vast. 'Zo deed je laatst ook, en toen ik het aan pappa ver-
klapte, zei hij dat jij er niks aan kon doen. Het kwam omdat je moe
was van het kindje in je buik. Is dat zo, moesje?'
'Nee hoor, schat, maak je maar geen zorgen. Maar ik zal wel blij zijn
als het er is, jij dan?'
Davina knikte snel. 'Ja, want dan heb ik eindelijk een broertje of
een zusje. En dat lijkt me verschrikkelijk leuk! Ik hoef alleen maar
twee beschuitjes met jam,' liet ze erop volgen toen ze zag dat Tica
een boterham voor haar aan het smeren was.
'Niks ervan, dametje,' zei Tica, 'een beschuitje met jam is alleen
voor de lekkere trek, je moet ook een boterham met kaas eten. Dat
is gezond, daar groei je van!'

'Moeders doen altijd net alsof ze alles weten,' pruilde Davina, maar niet lang hierna kreeg Tica een dikke pakkerd en huppelde het meisje welgehumeurd weer naar school.

Tica stapte in haar auto en toen Evelien kort hierna de deur voor haar opende, kreeg zij van Tica, behalve de bloemen, een hartelijke omhelzing. 'Gefeliciteerd met je éénjarige huwelijk!'

In de huiskamer, achter een geurend glas thee, praatte Tica verder. 'Ik móést je even zien en dus waardeer ik het dat jij tijd voor me vrijmaakte!'

Evelien lachte. 'Dat is het gemak van kantoor aan huis én van het feit dat je baas je man is! Ik laat mijn bureau wel vaker in de steek voor een boodschap of wat ook, dat is helemaal geen punt. Je hoeft je dus niet bezwaard te voelen, 'k ben blij dat je er bent. En dat je aan onze huwelijksdag hebt gedacht, vind ik bijzonder attent van je! Vind jij overigens ook dat de tijd razendsnel voorbijvliegt? Ik kan het gewoon niet bevatten dat het alweer een jaar geleden is dat ik de bruid was!'

'Over een paar maanden zijn Felix en ik even lang getrouwd als jullie nu,' zei Tica. 'Op die dag hadden wij niet kunnen dromen dat we een jaar later een kindje zouden krijgen. Of is het pijnlijk voor jou dat ik dit zo zeg?'

'Ik kan de zon gelukkig in het water zien schijnen. Maar dat wil niet zeggen dat ik niet af en toe een tikkeltje jaloers ben op jou. Bij het zien van jouw almaar dikker wordende buik krijg ik soms een hekel aan die van mezelf, die tot dusverre zo plat als een dubbeltje blijft. Maar Guus en ik blijven moed houden en luisteren naar onze huisarts die zegt dat een jaar veel te kort is om al te denken aan het laten doen van onderzoeken. Wie weet blijft mijn ongesteldheid volgende maand zomaar spontaan uit. Dan zullen Guus en ik op zijn minst een vreugdedansje maken!'

'Ik help het je hopen.' Nadat Tica een paar hapjes van het gebakje had genomen dat Evelien voor haar neer had gezet, zei ze lachend: 'Vorig jaar zorgden jij en ik voor twee trouwerijen kort op elkaar en nu ligt er alweer eentje voor ons in het verschiet! Manon en Marco zijn al druk bezig plannen in die richting te maken! Ik herinner me nog klip en klaar dat ik Manon op mijn huwelijksdag zat te jennen door haar op het gezegde te wijzen: ván trouwen kómt trouwen. Ze stond er toen niet afwijzend tegenover, maar de stiekemerd zei niet dat ze al met Marco had zitten flirten. Die dag heeft Marco wel aan Felix bekend dat Manon hem niet onberoerd liet. Maar dat doet er niet toe, het belangrijkste is dat die twee elkaar gevonden hebben. En wij zijn er allemaal blij mee, want het lijdt geen twijfel dat ze perfect bij elkaar passen. Eind goed al goed, meer kun je toch niet wensen?'

'In het verleden is er voor Felix de nodige deining geweest,' merkte Evelien op, 'maar dankzij jou is ook zijn scheepje in rustig vaarwater terechtgekomen. We hoorden er anders wel van op dat jij een punt achter je carrière gaat zetten. Weet je het heel zeker, kom je er niet op terug?'

'Nee, mijn besluit staat vast. Ik ben echt niet over één nacht ijs gegaan, ik weet wat ik doe. Ik sta nog hooguit twee weken voor de klas en daarna ga ik niet met zwangerschapsverlof, maar hang ik mijn onderwijzerspet aan de wilgen. Net als iedereen is Felix bang dat ik er spijt van zal krijgen, maar ik ken mezelf en weet dat dat niet zal gebeuren. Ik heb wel vaker gezegd dat ik iemand van de oude stempel ben, maar als ik daar zelf vrede mee heb, is er volgens mij niks mis mee. Iedereen moet zijn leven naar eigen goeddunken invullen en dat doe ik dus ook. Net zoals ik Davina na schooltijd niet aan haar lot over wil laten, zo moet ik er niet aan denken dat ik de baby na de geboorte naar een crèche zou moeten brengen. Ik vind dat je bepaalde keuzes moet maken. Als je kiest voor een kind, moet je er voor dat kind zijn en niet ook nog eens carrière willen maken. Het is het één of het ander, allebei gaat niet. Met respect voor mensen en hun ideeën, maar zo denk ik erover en daar valt niets aan te veranderen.'

'Vertel mij wat!' lachte Evelien, 'wat jij je in het hoofd hebt gezet, praat niemand eruit. Zo ben je altijd al geweest, maar er is niks op tegen, het bewijst dat je karakter hebt. En in verband met Davina heb jij al bewezen dat je het moederlijke volop in je hebt.'

'Ik vermoed dat ik het van huis uit mee heb gekregen,' zei Tica bedachtzaam. 'Zonder me te verwennen, dat vooropgesteld, deed mijn moeder voor mij hetzelfde. Ze was er altijd en dat warme, beschermde gevoel probeer ik door te geven aan Davina en straks ook aan de baby.'

'Het kindje kan de wereld onbekommerd komen begroeten, want alles wat het nodig heeft, staat al te wachten. Hij of zij krijgt werkelijk een beeldige kinderkamer!'

'Dank je,' zei Tica en blozend van de warmte die ze in zich voelde zei ze zacht: 'Ik kan haast niet meer wachten.'

Evelien troostte: 'Ik heb daarstraks al gezegd dat de tijd razendsnel voorbijvliegt, hou je daar maar aan vast!'

Kort hierna namen ze afscheid van elkaar en achter het stuur van haar auto dacht Tica terug aan wat Evelien, goedbedoeld, had beweerd. In plaats van zich er daadwerkelijk aan op te trekken, dacht ze: Jij hebt gemakkelijk praten, jij voelt niet hoe zwaar de laatste loodjes wegen. En je weet niet hoe ik ernaar verlang om Felix' gezicht te zien als de baby in zijn armen wordt gelegd.

Evelien kreeg een beetje gelijk, want tot Tica's vreugde werd het toch zomaar maart en kondigde de baby zijn komst aan. Omdat Joosje Jelle en Frida niet aan hun lot kon overlaten, had Evelien van te voren aangeboden dat Davina bij haar en Guus mocht komen als het zover was.

Deze namiddag, Felix was net thuisgekomen van zijn werk, zei Tica: 'Ik voelde daarnet een vreemde pijn in mijn buik, ik denk dat jij Tica moet ophalen, ze is bij Lieke. Neem het koffertje met spullen dat we al voor haar klaar hebben staan, mee en rijd dan meteen met haar door naar Evelien. Ik wil niet paniekerig doen, maar volgens mij duurt het nu niet lang meer...'

'Kan ik je dan nog wel alleen laten?' Felix keek bedenkelijk.

Tica stelde hem gerust. 'Het zal er heus niet een-twee-drie uitfloepen, maar je moet je wel een klein beetje haasten.'

Dat kleine beetje werd een heleboel. Bezorgd om Tica voelde Felix zich opgejaagd, maar onderweg naar Evelien wist hij zich te beheersen en lukte het hem zijn zenuwen niet over te brengen op Davina. 'Je weet het hè, meiske van me, we hebben van te voren besproken dat jij één nachtje bij tante Evelien en oom Guus gaat logeren. Morgen brengt tante Evelien je naar school en ze haalt je ook weer op. En zodra mamma en de baby uit het ziekenhuis mogen, kom jij weer fijn bij ons thuis. Dan mag jij je kleine broertje of zusje bewonderen, maar van te voren zal ik bellen om je te vertellen of het een jongen of een meisje is geworden. Is dat goed?'

'Ja, maar het is wel spannend en daarom weet ik niet of ik het leuk zal vinden bij tante Evelien. Ik wil nu liever bij moesje zijn, maar dat kan niet...' besloot ze gelaten.

Evelien ving het meisje goed op. Felix haastte zich weer huiswaarts en nog geen uur later lag Tica op de kraamafdeling van het ziekenhuis. Het floept er niet zomaar uit, had ze gezegd, niet wetende dat het een langdurige, zware bevalling zou worden. Maar op het moment dat Tica de uitputting nabij was, begroette de baby de wereld met een klagelijk huilgeluidje. Tica werd geprezen: 'U heeft zich er geweldig doorheen geslagen!' Vervolgens werd er een wolk van een baby van maar liefst acht pond in haar armen gelegd.

Nadat Tica het kindje in stil, niet te verwoorden geluk had bewonderd en gekust, zocht en vond ze Felix' blik. Hij boog zich over haar, kuste haar behoedzaam en met een stem die zwaar klonk van ontroering zei hij: 'Dankjewel, lieveling, voor dit lieve, mooie kindje.

Een zoon... je hebt een lang gekoesterde wens voor me vervuld.'
Hij nam het kleine manneke van Tica over, streek met een vinger over een perzikzacht wangetje en fluisterde: 'Berry Visser... je bent meer dan welkom.' Zijn ogen waren verdacht vochtig toen hij verder praatte tegen Tica. 'Hoe is het in vredesnaam mogelijk dat zo'n klein hoopje mens zoveel geluksgevoel in je naar boven haalt...'
Niet minder ontroerd dan hij, fluisterde Tica: 'Wij mogen samen voor hem gaan zorgen en dat zullen we naar eer en geweten doen. We gaan een prachtmens van hem maken, hè Felix?'
'Ja, mijn liefste, maar ik kreeg zojuist een seintje dat ik je alleen moet laten. Ik had zelf moeten inzien dat jij je rust meer dan nodig hebt.'
Hij kuste haar en het kleine kinderkopje in de holte van haar arm, maar voordat hij het zaaltje kon verlaten, zei Tica gejaagd: 'Je moet straks allereerst een mailtje sturen naar pa en ma, vergeet dat vooral niet! En je hebt het gehoord dat ik morgenochtend weer naar huis mag. Kom je zo vroeg mogelijk, want ik verlang naar Davina, mijn oudste kind...'
'Lief van je om dat te zeggen, maar ik weet toch allang dat mijn oogappeltje jouw dochter geworden is.' Hij tuitte zijn lippen, zond haar een denkbeeldig zoentje, vervolgens trok hij de deur achter zich dicht.

Door zijn telefoontje wist Davina de volgende dag dat zij tussen de middag gewoon weer naar huis kon gaan. Ze legde de afstand tussen school en huis in looppas af, waardoor ze hijgend en met vuurrode wangen voor Felix stond. 'Nu mag ik hem zien, mijn broertje Berry! Is hij werkelijk zo leuk als jij door de telefoon zei?'
'Ga maar gauw zelf kijken,' adviseerde Felix. Hij keek vertederd toen Davina de trap naar boven letterlijk bestormde en vervolgens trok hij zich in de huiskamer terug. Niet omdat hij geen belangstelling had voor de eerste ontmoeting tussen broer en zus, maar

omdat Tica hem had gevraagd: 'Als Davina thuis is, wil je haar dan een poosje alleen laten met mij, Felix?' Hij had de zacht gestelde vraag onmiddellijk begrepen en nu, bedacht hij, kon hij zich precies voorstellen wat er in de slaapkamer gezegd en gedaan werd. Later zou Felix pas horen hoever hij ernaast had gezeten met zijn veronderstelling, op dit moment strekte Tica haar armen verlangend uit naar Davina. 'Daar ben je dan eindelijk! Doe je schoenen uit en kom gezellig bij me in bed! Pappa heeft je broertje al naast me gelegd. Berry wil heel graag tussen mij en zijn grote zus in liggen!'

In bed boog Davina zich minutenlang over de baby, totdat ze met een bedenkelijk gezicht zei: 'Hij is wel érg klein, hoor, zou dat ooit goed komen?'

Alsof Berry hoorde dat zijn zus weinig vertrouwen in hem had, zo opende hij tegelijk zijn oogjes en zijn mondje en zette hij het op een krijsen. Davina schrok ervan.

Tica nam hem in haar armen en in volle onschuld drong het niet tot haar door welke woorden ze koos om het kindje te kalmeren. 'Stil maar, mijn manneke, je hoeft niet te huilen. Je bent immers veilig bij je mamma!' Berry werd op slag stil en Tica zei lachend tegen Davina: 'Is het geen schatje, dit kleine knulletje van ons?'

Toen Davina er niet op reageerde, maar met een vreemd vertrokken gezichtje naar haar broertje keek, wilde Tica weten: 'Wat is er, lieverd, je kijkt opeens zo donker?'

'Ik voel me een beetje rottig,' bekende Davina met een droef gezichtje. Op Tica's vraag hoe dat zo plotseling kwam, antwoordde het meisje: 'Het is net alsof ik er niet echt bij hoor nu Berry wel mamma tegen jou mag zeggen en ik niet...'

Tica schrok ervan en gehaast trok ze Davina met haar vrije arm naar zich toe. Ze kuste het meisje en even zacht als ontroerd zei ze: 'Ik vind moesje een beetje kinderachtig klinken, dat durf ik nu wel tegen je te zeggen. Zullen we afspreken dat jij voortaan ook mamma tegen me zegt? Het is immers zo dat ik net zo goed jouw mamma geworden ben als die van Berry?'

'Meen je dat, meen je dat echt?' Toen Tica het volmondig beaamde, sloeg Davina haar armen om Tica's nek en juichte ze: 'Eindelijk, eindelijk ben ik net als de andere kinderen van school. Niemand van hen noemt zijn moeder moesje, ze zeggen allemaal mamma of mam. Nu heb ik opeens ook een echte moeder die ik mamma mag noemen. Ik ben zo blij, mamma, zó blij!'

De overgelukkige blik in haar jonge ogen deed Tica aan Suze denken. En stil dacht ze: Je weet niet half, Suze, wat je klakkeloos hebt afgedankt als was het een hond of een kat waar je op uitgekeken raakte. Al wat jij haar in je onmacht tekort hebt gedaan, zal ik, samen met Felix, voor haar goedmaken. Omdat ze, niet minder dan Berry, het kind van ons beiden is, dit meiske met haar gevoelige hartje.